中華國學經典百部

精華本

战国策

［战国］佚名 著

王光波 译注

中国书店

图书在版编目（CIP）数据

战国策 /（战国）佚名著；王光波译注 . —北京：中国书店，2023.10

（中华国学经典百部：精华本）

ISBN 978-7-5149-2963-8

Ⅰ . ①战… Ⅱ . ①佚… ②王… Ⅲ . ①中国历史－战国时代－史籍②《战国策》－译文 Ⅳ . ① K231.04

中国版本图书馆 CIP 数据核字（2022）第 075446 号

战国策

〔战国〕佚名 著　王光波 译注

责任编辑：刘深

出版发行：中国书店

地　　址：北京市西城区琉璃厂东街 115 号

邮　　编：100050

电　　话：（010）63171753（总编室）

（010）63017857（发行部）

印　　刷：三河市嘉科万达彩色印刷有限公司

开　　本：787mm × 1092mm　1/32

版　　次：2023 年 10 月第 1 版第 1 次印刷

字　　数：162 千

印　　张：6（全 300）

书　　号：ISBN 978-7-5149-2963-8

定　　价：1490.00 元（全 50 册）

前言

《战国策》主要记载了自春秋之后，一直到秦灭六国，约二百四十年（前460—前221）间，谋臣策士辅佐君主的活动以及他们游说、辩论时所提出的种种政治主张和斗争策略，或者说是战国时代纵横家的言行总集。

《战国策》具体作者已不可考，成书年代约在战国末年或汉代初年，西汉刘向对其进行了校订和最后编订。经过刘向的整理，《战国策》按国别记述，依时间编排，去其重复，补其缺损，共成书三十三篇。东汉末年，高诱为其作注。后来，刘向集录本和高诱注释本在流传过程中有所散佚，至北宋中叶，经曾巩重新校正，补足了刘向集录本三十三篇。南宋姚宏、鲍彪以及元代的吴师道皆有注本。现在流行的《战国策》共分三十三卷，总计四百九十余章，杂记东周、西周、秦、齐、楚、赵、魏、韩、燕、宋、卫、中山十二国的军政大事。

战国时代是中国社会由奴隶社会向封建社会过渡的时代，是一个前所未有的巨大变革的时代。《战国策》是这个时代的产物，其所反映的内容，既广泛又错综复杂，突出表现了战国时期政治动荡、矛盾重重的时代特点。

一方面，《战国策》记录了如苏秦、张仪、公孙衍、陈轸等游说之士为求一己之功名利禄，借三寸不烂之舌奔走于各国之间，游说诸侯，纵横捭阖，巧妙地利用各国间的利害关系，忽而连横，忽而合纵，或背盟相弃，或罢兵修好。

另一方面，《战国策》还赞颂了一些廉洁不屈的志士和舍生忘死的义士。冯谖高瞻远瞩为孟尝君“烧券买义”，荆轲舍生取义为燕太子丹“提一匕首入不测之强秦”，王斗敢言直谏当面讽刺齐宣王好马、好酒、好色，唯独“不好士”，唐雎更“挺剑而起”，以士怒则“伏尸二人，流血五步，天下缟素”折服暴秦。

此外，《战国策》也暴露和鞭挞了统治者的荒淫无耻、毒辣残暴。赵人李园为一己富贵先后将其妹进献给春申君和楚考烈王，又设计“尽灭春申君之家”，篡夺大权，阴险毒辣。楚怀王夫人郑袖阳奉阴违，两面三刀，用毒计谗害了魏美人。秦宣太后淫乱后宫，私爱面首魏丑夫，死后要其随葬。这些事例都充分暴露了战国时期贵族阶级为人的残暴和生活的腐朽。

《战国策》作为战国时代的基本史料，在流传和成书过程中难免杂有纵横家、策士采集引用的拟作、传说，有许多虚构和夸张的成分，不可尽信，这在一定程度上降低了其史学价值。但它在文学方面所取得的成就，被历代研究者所认同。它的故事情节生动典型，上承《左传》，下启《史记》；人物刻画精雕细琢，不仅数量众多，而且个性分明；此外，语言表达生动精练，简明流利，善用寓言故事，把道理讲得深入浅出。有人称许《战国策》“繁辞瑰辩，灿然盈目”，宋代李文叔赞它为“文辞之最”。

作为一本普及性读物，此次编订只节选《战国策》中八十二篇经典篇目，以飨诸君。译文以直译为主，力求信、达、雅兼顾，从而帮助大家更好地读懂这部经典，从侧面感受中华国学的博大精深。

由于编者水平有限，疏漏、错误在所难免，诚恳地希望广大专家、读者批评指正。

目录

东周策

秦兴师临周而求九鼎

【原文】

秦兴师临周而求九鼎①，周君患之，以告颜率②。颜率曰："大王勿忧，臣请东借救于齐。"颜率至齐，谓齐王曰："夫秦之为无道也，欲兴兵临周而求九鼎。周之君臣，内自画计③，与秦，不若归之大国。夫存危国，美名也；得九鼎，厚实④也。愿大王图之。"齐王大悦，发师五万人，使陈臣思⑤将以救周，而秦兵罢。

齐将求九鼎，周君又患之。颜率曰："大王勿忧，臣请东解之。"颜率至齐，谓齐王曰："周赖大国之义，得君臣父子相保也，愿献九鼎，不识大国何途之从而致之齐？"齐王曰："寡人将寄径于梁⑥。"颜率曰："不可。夫梁之君臣欲得九鼎，谋之晖台⑦之下、沙海⑧之上，其日久矣。鼎入梁，必不出。"齐王曰："寡人将寄径于楚。"对曰："不可。楚之君臣欲得九鼎，谋之于叶庭⑨之中，其日久矣。若入楚，鼎必不出。"王曰："寡人终何途之从而致之齐？"颜率曰："弊邑固窃为大王患之。夫鼎者，非效醯⑩壶酱甀⑪耳，可怀挟提挈以至齐者；非效鸟集乌飞，兔兴马逝⑫，漓然⑬止于齐者。昔周之伐殷，得九鼎，凡一鼎而九万人挽⑭之，九九八十一万人，士卒师徒，器械被具⑮，所以备者称此。今大王纵有其人，何途之从而出？臣窃为大王私忧之。"齐王曰："子之数来者，犹无与耳。"颜率曰："不敢欺大国，疾定所从出，弊邑迁鼎以待命。”齐王乃止。

【注释】

①九鼎：周王室的传国之宝。②颜率：周王朝的大臣、谋士。③画计：商量。④实：实际利益。⑤陈臣思：齐威王的名将田忌。⑥梁：魏国。魏惠王迁都大梁（今河南开封），故魏又称“梁”。⑦晖台：台名。⑧沙海：地名。在今河南开封西北。⑨叶庭：地名。在今湖北华容。⑩醯（xī）：醋。⑪甀（zhuì）：瓮。⑫兔兴马逝：形容轻快。⑬漓然：水渗流的样子。⑭挽：牵引。⑮被具：士卒运鼎需要准备的器具。

【译文】

秦国出兵逼近东周，向东周国君索求九鼎，周君为此十分担心，就与颜率商讨对策。颜率说：“大王不必担心，请允许臣向东去齐国求救。”颜率到了齐国，对齐王说：“如今秦国不讲道义，打算向周出兵而索求九鼎。我周之君臣在朝中商量，认为与其把九鼎送给秦国，不如送给贵国。您保存了面临危亡的周国，这是美名；得到了九鼎，这是很实在的利益。希望大王能考虑一下这件事。”齐王非常高兴，出兵五万，任命陈臣思为将军前往救助东周，于是秦兵撤回。

当齐王将要索求九鼎的时候，周君又担心起来。颜率说：“大王不必忧虑，请允许臣去齐国解决这件事。”颜率来到齐国，对齐王说：“东周仰赖贵国的义举，君臣父子才得以保全，所以情愿献上九鼎，但不知道贵国从哪条道把九鼎运到齐国呢？”齐王说：“我打算向梁国借道。”颜率说：“不可以。因为梁国君臣也想得到九鼎，他们在晖台脚下、沙海边上已经谋划很长时间了。九鼎一旦进入梁国，必然出不来了。”齐王又说：“那么我打算向楚国借道。”颜率回答说：“不可以。因为楚国君臣也想要得到九鼎，他们在叶庭密谋很久了。假如经过楚国，九鼎也必定出不来了。”齐王说：“那么我究竟该从哪里把九鼎运到齐国呢？”颜率说：“敝国也私下为大王忧虑这件事。这个九鼎并不像醋瓶子或酱罐子一类的东西，可以怀揣手拿到齐国，也不像鸟聚鸦飞、兔跳马跑那样飞快地进入齐国。当初武王伐纣获得九鼎之后，每只鼎都用九万人牵引，共有九九八十一万人。士兵、工匠器械等准备物资也相当于这个数目。如今大王纵使有这等人力和物力，又从哪条道把九鼎运出来呢？我暗地里一直为大王担忧。”齐王说：“你屡次前来劝谏我，无非是不想把九鼎给我！”颜率解释说：“我怎敢欺骗贵国呢，只要您赶快决定好搬运路线，敝国一定把九鼎迁出来，以便您随时将其运走。”齐王只好作罢。

秦攻宜阳

【原文】

秦攻宜阳①，周君谓赵累②曰：“子以为何如？”对曰：“宜阳必拔也。”君曰：“宜阳城方八里，材士③十万，粟支数年，公仲④之军二十万，景翠⑤以楚之众，临山⑥而救之，秦必无功。”对曰：“甘茂⑦，羁旅也，攻宜阳而有功，则周公旦也；无功，则削迹⑧于秦。秦王不听群臣父兄之议而攻宜阳。宜阳不拔，秦王耻之。臣故曰拔。”君曰：“子为寡人谋，且奈何？”对曰：“君谓景翠曰：‘公爵为执圭⑨，官为柱国⑩，战而胜，则无加焉矣；不胜，则死。不如背秦，秦拔宜阳。公进兵，秦恐公之乘其弊也，必以宝事公；公仲慕公之为己乘秦也，亦必尽其宝。’”秦拔宜阳，景翠果进兵。秦惧，遽效⑪煮枣⑫，韩氏果亦效重宝。景翠得城于秦，受宝于韩，而德⑬东周。

【注释】

①宜阳：位于洛阳西南熊耳山北端，为韩国西陲的军事要塞。②赵累：周臣，身世不详。③材士：指训练有素的士兵。④公仲：韩相国，名倗。⑤景翠：楚国将领。⑥山：指伏牛山。⑦甘茂：下蔡（今安徽凤台）人，曾就学于史举，学百家之说，被张仪、樗里疾引荐给秦惠文王。秦武王曾派甘茂定蜀，委以左丞相。⑧削迹：除名，革除官职。⑨执圭：爵位名，为楚国最高爵位。⑩柱

国：楚国的最高武官。⑪效：献。⑫煮枣：魏国城邑，一说在今山东东明县南，一说在今山东菏泽市西北。⑬德：感恩，感激。

【译文】

秦国攻打宜阳城，周赧王对赵累说："你认为这场战争最终会怎样啊？"赵累回答说："宜阳必定会被攻破。"赧王说："宜阳城方圆八里，勇士十万，粮食可以支用好几年，此外还有韩国的公仲率领的二十万人以及附近的楚将景翠率领的兵马，他们依山扎营，相机发兵援救，秦国必定无功而返。"赵累回答说："甘茂是寄居秦国的客将，如果攻打宜阳有功，就成了秦国的周公旦；如果不成功，将会被秦国革除官职。秦武王不听群臣父兄们的意见，坚持要攻打宜阳，如果宜阳攻不下来，秦武王会因此而感到耻辱。所以我才说宜阳一定会被攻破。"周赧王说："你替我谋划一下，我该怎么办？"赵累说："您可以这样对景翠说：'您的爵位已经是执圭，官职也升到了柱国，即便参战取胜，官爵也不可能再升了；万一失败了，则会送命。不如背弃秦国，要是秦国攻下宜阳，您就出兵，秦国担心您在秦军疲惫时攻打它，一定会用珍宝来讨好您，韩国公仲也会认为您是为救韩国而攻秦的，一定会给您送上珍宝。'"秦军攻陷了宜阳，景翠果然出兵。秦国十分恐惧，马上把煮枣城送给了景翠。韩国也送上了珍宝。景翠从秦国得到了煮枣城，又接受了韩国的财宝，因此非常感谢东周。

东周欲为稻

【原文】

东周欲为[1]稻，西周不下水，东周患之。苏子[2]谓东周君曰："臣请使西周下水，可乎？"乃往见西周之君曰："君之谋过矣！今不下水，所以富东周也。今其民皆种麦，无他种矣。君若欲害之，不若一为下水，以病[3]其所种。下水，东周必复种稻；种稻而复夺之。若是，则东周之民可令一仰[4]西周而受命于君矣。”西周君曰：“善。”遂下水。苏子亦得两国之金也。

【注释】

①为：种植。②苏子：通常指苏秦，这里指一个虚拟的人。③病：损害。④一仰：都仰仗。

【译文】

东周打算种植水稻，可是西周不放水，东周为此十分担心。苏子对东周君说：“我请求出使西周，说服西周放水，可以吗？”于是他前往西周，拜见西周君，说：“您的谋划不对啊！现在不放水，反而富了东周啊。如今东周的百姓全都种麦子，不种别的作物了。您若想害他们，不如放水给他们，来破坏他们的庄稼。您放了水，东周一定会改种水稻；等他们种了水稻以后，您再断他们的水。如果您这样做，就可以使东周的百姓完全依赖西周而听命于您了。”西周君说：“好。”于是放水。苏子也得到了两国的酬金。

周文君免工师藉

【原文】

周文君免工师藉，相吕仓，国人不说[1]也。君有闵闵[2]之心。谓周文君曰：“国必有诽誉[3]，忠臣令诽在己，誉在上。宋君夺民时以为台，而民非之，无忠臣以掩盖之也。子罕[4]释相为司空[5]，民非子罕而善其君。齐桓公宫中七市，女闾[6]七百，国人非之。管仲故为三归[7]之家，以掩桓公，非自伤于民也！《春秋》记臣弑君者以百数，皆大臣见誉者也。故大臣得誉，非国家之美也。故众庶成强，增积成山。”周君遂不免[8]。

【注释】

①说：同“悦”。②闵闵：忧虑的样子。③诽誉：褒贬。④子罕：姓乐名喜，春秋时宋国贵族。⑤司空：管理土木工程的官。⑥女闾：古时设于宫中的淫乐场所。⑦三归：一说为管仲自筑之台名，一说为齐桓公赐给管仲的封地名，一说为娶三姓女。⑧不免：指没有罢免吕仓。

【译文】

东周昭文君罢免了工师藉的相位，任用吕仓为相国，国民都不高兴。昭文君对此闷闷不乐。有人对昭文君说：“国家每做一件事，国人一定有褒有贬，忠臣总是把诽谤引到自己身上，而把赞扬归于君主。宋国的国君强占百姓的耕作时间为自己修筑高台，使得百姓怨声载道，这是由于没有忠臣替他掩饰。宋国的子罕辞去相位，降任司空，百姓责备子罕，而赞美宋君。齐桓公在他的宫廷里开了七个市场，七百个妓院，齐国人没有不非议他的。于是管仲就故意在自己家筑起一座‘三归台’，以此掩饰桓公的过错，并非他自己有意伤害民心。《春秋》一书记载了数以百计的臣子弑杀君主的事件，而这些大臣都是备受赞誉的大臣呀。因此，大臣受到赞誉对国家并不是好事。所以说，众多成强，增高成山。”这样昭文君才没有罢免吕仓的相位。

温人之周

【原文】

温[1]人之周，周不纳。问曰：“客耶？”对曰：“主人也。”问其巷而不知也，吏因囚之。君使人问之曰：“子非周人，而自谓非客，何也？”对曰：“臣少而诵《诗》，《诗》曰：‘普天之下，莫非王土；率土之滨，莫非王臣。’今周君天下，则我天子之臣，而又为客哉？故曰主人。”君乃使吏出之。

【注释】

①温：魏国地名，在今河南温县。

【译文】

一个温城人去东周，周人不让他入境。问他，说："你是客籍人士吧？"温人回答："我是东周本国人。"但是问他住在哪个巷子，他却答不上来，于是小吏就把他关了起来。周君派人问他："你不是周人，却又说自己不是客人，这是为什么？"温人回答说："我年少时读过《诗经》，书中说：'普天之下，莫非王土；率土之滨，莫非王臣。'如今周王既然统治天下，那么我就是天子的臣民了，又怎么能说我是客人呢？所以我才说我是东周本国人。"周君听了，便叫小吏把他释放了。

杜赫欲重景翠于周

【原文】

杜赫①欲重景翠于周，谓周君曰："君之国小，尽君之重宝珠玉以事诸侯，不可不察②也。譬之如张罗③者，张于无鸟之所，则终日无所得矣；张于多鸟处，则又骇鸟矣；必张于有鸟无鸟之际，然后能多得鸟矣。今君将施于大人，大人轻君；施于小人，小人无可以求，又费财焉。君必施于今之穷士，不必且为大人者④，故能得欲矣。"

【注释】

①杜赫：东周人，与东周的昭文君处于同一时代。②察：考虑。③张罗：设网捕鸟。④不必且为大人者：将来可能成功的大人物。

【译文】

杜赫想让东周重用景翠，就对东周君说："您的国家很小，即便把全国的珍珠宝玉拿来侍奉诸侯，又有什么用？您不可不考虑这件事啊。比如设网捕鸟，把网设在没有鸟的地方，一整天也不会捕到鸟；把网设在鸟多的地方，又容易把鸟儿都吓跑。只有把网设在有鸟而鸟不多的地方，才会捕到很多鸟。现在您打算把珍宝都献给诸侯之类的大人物，可这些人却瞧不起您；把珍宝送给平庸之辈，他们却没有什么可以指望的，只是白白浪费钱财。君王只有把恩惠施给那些现在穷困潦倒并不显赫，但将来一定会成大器的人，才能达成自己的愿望。”

昌他亡西周

【原文】

昌他①亡②西周，之东周，尽输③西周之情于东周。东周大喜，西周大怒。冯且④曰：“臣能杀之。”君予金三十斤。冯且使人操金与书，间遗昌他书曰：“告昌他：事可成，勉成之；不可成，亟亡来！事久且泄，自令身死。”因使人告东周之候⑤曰：“今夕有奸人当入者矣。”候得而献东周，东周立杀昌他。

【注释】

①昌他（tuó）：西周臣子。②亡：逃离，出奔。③输：献，告诉。④冯且（jū）：西周臣子。⑤候：在边境从事侦察工作的人。

【译文】

昌他逃离西周，去了东周，把西周的情况全都告诉了东周。东周君十分高兴，西周君怒火中烧。冯且对西周君说：“我有办法杀掉昌他。”西周君给冯且三十斤金。冯且当即派人把金和信函送给昌他。信上写道：“敬告昌他：如果事情可以办成，你就努力办成；如果办不成，就赶快逃回来！事情久了容易败露，那时就是自取灭亡。”同时，又派人告诉边境的东周探子说：“今晚有奸细要入境了。”东周探子果然抓到了信使，把书信交给了东周君，东周君立刻将昌他杀掉了。

西周策

薛公以齐为韩、魏攻楚

【原文】

薛公[①]以齐为韩、魏攻楚[②]，又与韩、魏攻秦[③]，而藉兵乞食于西周。韩庆[④]为西周谓薛公曰："君以齐为韩、魏攻楚，九年而取宛、叶以北[⑤]，以强韩、魏，今又攻秦以益之。韩、魏南无楚忧，西无秦患，则地广而益重，齐必轻矣。夫本末更盛，虚实有时，窃为君危之。君不如令弊邑阴合于秦而君无攻，又无藉兵乞食。君临函谷而无攻，令弊邑以君之情谓秦王曰：'薛公必不破秦以张韩、魏，所以进兵者，欲王令楚割东国[⑥]以与齐也。'秦王出楚王[⑦]以为和，君令弊邑以此惠秦，秦得无破，而以楚之东国自免也，必欲之。楚王出，必德齐，齐得东国而益强，而薛世世无患。秦不大弱，而处之三晋[⑧]之西，三晋必重齐。"薛公曰："善。"因令韩庆入秦，而使三国无攻秦，而使不藉兵乞食于西周。

【注释】

①薛公：齐威王封少子田婴于薛，田婴之子田文袭封，故人称其为"薛公"。②攻楚：周赧王十二年（前303），齐、韩、魏三国以楚国背约为借口，合兵攻打楚国。③攻秦：周赧王十六年（前299），田文入秦为相，不久受谗被囚，次年逃回齐国，心有怨恨，因此联合韩、魏攻秦。④韩庆：西周臣子。⑤宛、叶以北：指今河南襄城、鲁山一带。⑥东国：自今河南郾城以东，沿淮北至泗上一带。⑦出楚王：公元前299年，秦约楚怀王在武关相会，挟持怀王入秦，以此要挟楚国。⑧三晋：韩、赵、魏三家分晋，故称"三晋"。

【译文】

薛公田文用齐国的军队与韩、魏两国一起攻打楚国，后来又和韩、魏一起攻打秦国，并向西周借兵借粮。韩庆为维护西周的利益，对薛公说：“您用齐国军队和韩、魏攻打楚国，耗时九年终于攻取宛、叶以北的地区，实际上是壮大了韩、魏两国的势力。如今您又联合韩、魏两国攻打秦国，是使韩、魏两国的势力更加强大。韩、魏在南边没有了对楚国的担忧，在西边没有了秦国的祸患，他们的土地得到扩张，地位也会更加显要，而齐国的地位必然因此而下降。事物的本末盛衰是相互更替的，事物的强弱也会因时而变，臣私下里为您感到不安啊。您不如让我们西周暗中与秦国结好，而您不要真的攻打秦国，也不用向我们西周借兵借粮。您可以兵临函谷关，但是不要进攻，让我们把您的用意告诉秦王，说：‘薛公一定不会攻破秦国而使韩、魏两国的势力扩大，如今齐国之所以出兵，是想让您把您占领的楚国的东国割给齐国。’这样，秦王就会放回楚怀王来求和，您也可以使我们西周以此施恩于秦国，使其献出楚国的东国以求免灾。楚王一旦被释放，必然会感激齐国，齐国得到楚国的东国会更加强大，您的国家也就世世代代没有忧患了。秦国并没有被削弱太多，又处在三晋的西面，会对三晋有所威胁，所以三晋必定会倚重齐国。”薛公说：“很好。”因而派遣韩庆去秦国，还停止了三国攻打秦国的行动，也不再向西周借兵借粮。

秦令樗里疾以车百乘入周

【原文】

秦令樗里疾[①]以车百乘入周，周君迎之以卒[②]，甚敬。楚王怒，让[③]周，以其重秦客。游腾[④]谓楚王曰：“昔智伯[5]欲伐厹由[6]，遗之大钟，载以广车，因随入以兵，厹由卒亡，无备故也。桓公伐蔡也，号言伐楚，其实袭蔡。今秦者，虎狼之国也，兼有吞周之意，使樗里疾以车百乘入周，周君惧焉，以蔡、厹由戒之，故使长兵在前，强弩在后，名曰卫疾，而实囚之也。周君岂能无爱国哉？恐一日之亡国，而忧大王。”楚王乃悦。

【注释】

①樗（chū）里疾：秦惠王弟，生于樗里，名疾。据说他足智多谋，人称智囊。②卒：古代军队百人为卒，这里泛指卫队。③让：责备。④游腾：周朝大臣。⑤智伯：晋卿，姓荀名瑶。⑥厹（qiú）由：古国名，在今山西省阳泉市。

【译文】

秦国派樗里疾率领一百辆兵车进入西周，周君派卫队去迎接他，很是恭敬。楚王为此十分生气，责备西周过分重视秦国的访客。游腾就对楚王解释说：“过去智伯打算讨伐厹由时，给厹由送了一口大钟，用大车装着，派遣士兵随车而入，厹由于是灭亡了，这都是厹由没有防备的缘故。齐桓公攻打蔡国时，表面上说是去攻打楚国，实际上是去袭击蔡国。秦国是一个如狼似虎的强国，怀有吞灭周朝的野心，现在秦国派樗里疾率领百辆兵车来到西周，周君非常害怕，但是他借鉴了厹由和蔡国的教训，所以派持戈的士兵走在前面，派强弩手走在后面，名义上是保卫樗里疾，实际上是围住他。周君怎么会不爱自己的国家呢？他只是担心万一国家覆灭了，秦国会对楚国不利，这是为大王担忧啊。”楚王这才转怒为喜。

雍氏之役

【原文】

雍氏[1]之役，韩征甲与粟于周。周君患之，告苏代[2]。苏代曰："何患焉？代能为君令韩不征甲与粟于周，又能为君得高都[3]。"周君大悦曰："子苟能，寡人请以国听。"

苏代遂往见韩相国公仲[4]曰："公不闻楚计乎？昭应[5]谓楚王曰：'韩氏罢[6]于兵，仓廪空，无以守城，吾收之以饥，不过一月必拔之。'今围雍氏五月不能拔，是楚病也。楚王始不信昭应之计矣，今公乃征甲及粟于周，此告楚病也。昭应闻此，必劝楚王益兵守雍氏，雍氏必拔。"公仲曰："善。然吾使者已行矣。"代曰："公何不以高都与周？"公仲怒曰："吾无征甲与粟于周，亦已多矣。何为与高都？"代曰："与之高都，则周必折而入于韩，秦闻之，必大怒而焚周之节[7]，不通其使。是公以弊高都得完周也，何不与也？"公仲曰："善。"不征甲与粟于周而与高都，楚卒不拔雍氏而去。

【注释】

①雍氏：韩国城邑，在今河南禹州东北。②苏代：河南洛阳人，苏秦的兄弟。③高都：韩国城邑。④公仲：韩国相国，名侈。⑤昭应：楚国将领。⑥罢：同"疲"，疲劳，疲惫。⑦焚周之节：焚烧西周使臣所执的符节表示与西周绝交。节，符节，使臣所执。

【译文】

在楚国攻打韩国雍氏的战役中，韩国向西周征兵调粮，周王为此非常担心，就把这件事告诉了苏代。苏代说："有什么好担心的呢？我能够替您让韩国不向西周征兵征粮，还可以帮助您得到高都。"周王十分高兴，说："你如果真能做到这些，我会将国家大事交给你处理。"

苏代于是前往韩国，拜见韩国相国公仲侈，对他说道："您没有听说楚国的计策吗？昭应曾对楚王说：'韩国将士疲惫，粮库空虚，没有力量守城了。我们要乘其闹饥荒时夺取雍氏，用不了一个月必定能够攻下它。'如今楚国围困雍氏五个月了还不能攻克，这暴露了楚军已经陷入困境。楚王已经开始不信任昭应的计策了。现在您向西周征兵征粮，分明是在告诉楚国韩国已经支持不住了。如果昭应知道这一情况，必定会劝说楚王增兵包围雍氏，到时候雍氏必定会被攻陷。”公仲侈说：“对呀。可是派往周国的使者已经出发了。”苏代说：“您为什么不把高都送给西周呢？”公仲侈生气地说：“我不向西周征兵征粮，已经不错了，为什么还要把高都送给它呢？”苏代说：“如果把高都送给西周，那么周王一定会转而归顺韩国，秦国听说之后一定会大发雷霆，从而焚毁西周使臣的符节，断绝与西周的来往。这样您实际上是在用一个残破的高都换取一个完整的西周，何乐而不为呢？”公仲侈说：“好吧。”就没有向西周征兵征粮，还把高都送给了西周。楚军最终未能攻下雍氏，只好离去。

司寇布为周最谓周君

【原文】

司寇布①为周最②谓周君，曰：“君使人告齐王以周最不肯为太子也，臣为君不取也。函冶氏③为齐太公买良剑，公不知善，归其剑而责④之金。越人请买之千金，折而不卖⑤。将死，而属其子曰：‘必无独知。’今君之使最为太子，独知之契⑥也，天下未有信之者也。臣恐齐王之为君实立果⑦而让⑧之于最，以嫁⑨之齐也。君为多巧，最为多诈，君何不买信货⑩哉？奉养无有爱于最也，使天下见之。”

【注释】

①司寇布：周朝大臣。司寇，主刑狱的官，布为其名。②周最：周朝的公子。③函冶氏：齐国善于鉴别宝剑的人。④责：求取。⑤折而不卖：虽千金仍不够本价，故函冶氏不肯卖。折，折本。⑥契：契约，分左右二契，各存订约人之手。⑦果：周太子名。⑧让：假托。⑨嫁：欺骗。⑩信货：真实可信的东西。

【译文】

司寇布替周最对周君说："大王派使者告诉齐王说周最不肯做太子，我认为您这样做不可取啊。从前函冶氏为齐太公买了一把宝剑，太公没有看出宝剑好在哪里，就把宝剑退了回去，还要回了买剑的钱。一个越国人愿意出一千金买这把宝剑，函冶氏嫌折本而不愿意卖。函冶氏临死的时候，叮嘱他儿子，说：'珍贵的东西一定不能只让自己知道。'现在大王想立周最为太子，这只是您自己心里的打算，天下人都不知道这件事。我担心齐王听了你的话以后，会认为您其实是想立周最为太子而假托周最不肯做太子，以此来蒙骗齐国。如果人们认为大王是在玩弄权谋，公子最又诡计多端，那么大王为何不让人们看到事情的真相呢？供养周最的东西不要吝惜，应该让天下人都知道啊。"

秦欲攻周

【原文】

秦欲攻周，周最谓秦王①曰："为王之国计者，不攻周。攻周，实不足以利国，而声畏天下②。天下以声畏秦，必东合于齐。兵弊于周，而合天下于齐，则秦孤而不王矣。是天下欲罢秦，故劝王攻周。秦与天下罢，则令不横行于周矣。"

【注释】

①秦王：秦昭王。②声畏天下：秦国因进攻周天子而坏了自己的名声。声，名声。畏，恶。

【译文】

秦打算攻打西周，周最对秦王说："如果是为大王的利益着想的话，就不应该攻打西周。攻打西周，其实对秦国没有好处，反而会使秦国在天下落得个坏名声。到时天下诸侯因为秦国有了攻打周天子的坏名声，必然会与东边的齐国联合起来。一旦秦为攻周陷于疲惫，而天下诸侯又联合了齐国，秦国就会陷入孤立无援的境地，而不能称王了。可见诸侯是为了使秦军精疲力竭才怂恿大王进攻西周的。如果秦国被天下诸侯弄得疲惫不堪，那么您的任何号令都不能通行于周了。”

秦　策

苏秦始将连横

【原文】

苏秦[1]始将连横[2]，说[3]秦惠王曰："大王之国，西有巴、蜀、汉中[4]之利，北有胡、貉[5]、代、马[6]之用，南有巫山、黔中[7]之限，东有肴、函[8]之固。田肥美，民殷富，战车万乘，奋击百万，沃野千里，蓄积饶多，地势形便，此所谓天府，天下之雄国也！以大王之贤，士民之众，车骑之用，兵法之教，可以并诸侯，吞天下，称帝而治。愿大王少留意，臣请奏其效。"

秦王曰："寡人闻之，毛羽不丰满者，不可以高飞；文章[9]不成者，不可以诛罚；道德不厚者，不可以使民；政教不顺者，不可以烦大臣。今先生俨然不远千里而庭教之，愿以异日。"

【注释】

①苏秦：字季子，战国时东周洛阳人，纵横家代表人物之一，始主连横，后倡合纵，在齐国任相国，为燕国从事反间活动，被齐国发现，车裂而死，一说被暗杀而死。②连横：以西方秦国为主，联合东方（太行山以东）的个别国家攻击其他国家。③说（shuì）：劝说别人听从自己的主张。④巴、蜀、汉中：国名，巴、属，分别位于今重庆市和四川省西部。汉中，位于今陕西秦岭以南。当时此三地虽不属秦，但与秦国交流频繁，所以说西面对秦有利。⑤胡、貉（hé）：位于今内蒙古南部，这里指匈奴所居住的地区。⑥代、马：代郡、马邑，在今山西东北部，其地产马。⑦巫山：山名，位于今重庆、湖北边境。黔中：郡

名，在今湖南沅陵县西。⑧肴、函：肴，同“崤”，即崤山，位于今河南洛宁北。函，函谷关，位于今河南灵宝市。⑨文章：这里指法令。

【译文】

苏秦一开始用连横的主张去游说秦惠王，说：“您的国家，西面有富庶的巴、蜀、汉中等地为您提供便利，北方有胡、貉、代、马等地的兽皮、骏马为您所用，南边有巫山、黔中的天然屏障，东面有崤山、函谷关这样坚固的要塞。田地肥沃，百姓富足；战车万辆，勇士百万；沃野千里，积蓄丰饶，地势便利，这正是人们所说的天然府库，天下强国啊！大王您凭着自己的贤能，人口的众多，战备物资的充足，将士的训练得法，完全有把握兼并诸侯，吞灭天下，称帝而治。希望大王能稍稍留意我的话，允许臣陈述秦国如何取得地利兵强的功效。”

秦惠王说：“我听说，羽毛不够丰满的鸟儿没有办法高飞，法制不健全的国家不可以实施刑罚，道德不宽厚的君主不可以役使百姓，政策教化不昌明的君主不可以劳烦大臣。现在先生如此郑重其事，不远千里来到秦国指导我，希望改天能向您请教。”

【原文】

苏秦曰：“臣固疑大王不能用也。昔者神农伐补遂[1]，黄帝伐涿鹿而禽蚩尤[2]，尧伐驩兜[3]，舜伐三苗[4]，禹伐共工[5]，汤伐有夏[6]，文王伐崇[7]，武王伐纣[8]，齐桓任战而伯[9]天下。由此观之，恶[10]有不战者乎？古者使车毂击驰[11]，言语相结，天下为一；约从连横，兵革不藏；文士并饬[12]，诸侯乱惑；万端俱起，不可胜理；科条既备，民多伪态；书策稠浊，百姓不足；上下相愁，民无所聊；明言章理，兵甲愈起；辩言伟服，战攻不息；繁称文辞，天下不治；舌弊耳聋，不见成功；行义约信，天下不亲。于是乃废文任武，厚养死士，缀甲厉兵，效胜于战场。夫徒处而致利，安坐而广地，虽古五帝、三王、五伯[13]，明主贤君，常欲佐而致之，其势不能，故以战续之。宽则两军相攻，迫则杖戟相撞，然后可建大功。是故兵胜于外，义强于内，威立于上，民服于下。今欲并天下，凌万乘，诎[14]敌国，制海内，子元元[15]，臣诸侯，非兵不可！今之嗣主忽于至道，皆惛于教，乱于治，迷于言，惑于语，沉于辩，溺于辞。以此论之，王固不能行也。”

【注释】

①“昔者”句：神农，即炎帝。传说他教民耕种，故号神农。神农与下文的黄帝、尧、舜等都是古代部落或部落联盟的首领。补遂，古国名，今地不详。②“黄帝”句：黄帝，即轩辕氏，传说中是华夏族的始祖。涿鹿，位于今河北省涿鹿县南。禽，同“擒”。蚩尤，古代九黎族的首领。③“尧伐”句：尧，陶唐氏，姓伊祁，名放勋，传位给舜。驩（huān）兜，尧臣，为“四罪”（驩兜、共工、鲧、三苗）之一，尧平定驩兜之乱后，采纳舜的建议，把驩兜放逐到了崇山。④三苗：又称“有苗”，部落名，“四罪”之一。⑤共工：传为尧的大臣，“四罪”之一，被尧流放于幽州，在大禹治水期间再次作乱，被大禹打败，臣服于大禹。⑥“汤伐”句：汤，商朝开国君主，原为夏朝诸侯。夏，夏桀。有，无义。⑦“文王”句：文王，周文王，姓姬名昌，在商纣王当政时为诸侯之长。崇，古国名，位于今陕西省西安市鄠邑区一带，这里指崇地的国君崇侯虎。⑧“武王”句：武王，周文王之子姬发，他打败商纣王，建立了西周王朝，追尊姬昌为文王。纣，商朝末代君主，传说中的暴君。⑨伯：同“霸”，称霸。⑩恶（wū）：同“乌”，哪里。⑪车毂（gǔ）击驰：使者的车毂相互撞击，形容使者往来频繁。毂，车轮中央的圆眼，以容车轴。这里代指车辆。⑫饬（shì）：通“饰”，即巧言游说诸侯。⑬五帝、三王、五伯：五帝，说法不一，一般指黄帝、颛顼、帝喾、尧、舜。三王，夏、商、周三代的开国君主夏禹、商汤和周文王。五伯，伯同“霸”，“五伯”即春秋五霸：齐桓公、晋文公、楚庄王、吴王阖闾、越王勾践。到了汉代，人们去掉吴王、越王，加入宋襄公、秦穆公，也称之为“五霸”。⑭诎（qū）：使……屈服。⑮元元：百姓。

【译文】

苏秦说：“我已经料到大王不会采纳我的建议。过去神农氏讨伐补遂，黄帝攻打涿鹿擒获蚩尤，唐尧放逐驩兜，虞舜征伐三苗，夏禹制伏共工，商汤取代夏桀，周文王征服崇侯虎，周武王覆灭商纣，齐桓公通过战争称霸天下。从这些情况来看，哪里有不打仗就取胜的道理呢？古代使者的车辆往来频繁，各国诸侯相互订立盟约，谋求天下统一；后来或言合纵或言连横，但从未停止过使用武力；文人辩士花言巧语游说诸侯，使得诸侯迷惑混乱，于是万般祸端全都就此发生，无法处理；法令条例齐备的国家，老百姓反而奸诈虚伪；文书、籍策繁多杂乱，百姓无所适从；上下互相愁怨，百姓无所依赖；道理讲得十分明白，战火反而更加激烈；身着盛装的说客越是巧言善辩，战争就越是无法止息。越搞那些繁杂的说教和浮夸的言辞，天下就越发无法治理；说客的舌头都说破了，听的人耳朵都听聋了，却见不到成功；尽管讲求信义、遵守誓约，各国却总是不和睦。于是就废除文治而使用武力，多养不怕牺牲的敢死之士，修缮好铠甲，磨砺好武器，在战场上一决胜负。只是白白待着却想得到好处，安稳坐着却要使国土扩大，即使是古代的五帝、三王、五霸和那些贤明的君主也是很难办到的，所以只有用战争来接替文治。两军相距较远时摆开阵势相互攻击，相距较近时用武器互相拼杀，只有如此才可以建功立业。因此，对外要靠战争取胜，对内要施行仁义来加强统治，君王在上有了威信，百姓在下自然就服从了。如今想要并吞天下，凌驾于有万辆兵车的诸侯国之上，让敌国屈服，从而统治天下，以百姓为子，让诸侯称臣，非用兵力不可呀。如今继位当政的君主，都忽略了用兵这一至关重要的道理，被各种治国方法弄得昏聩不堪，被花言巧语迷惑，沉湎于言辞巧辩。从这一点来看，大王您本来就不会采纳我的建议。”

【原文】

说秦王书十上而说不行。黑貂之裘弊，黄金百斤尽，资用乏绝，去秦而归。羸縢履蹻[①]，负书担橐[②]，形容枯槁，面目犁黑[③]，状有归色[④]。归至家，妻不下纴[⑤]，嫂不为炊，父母不与言。苏秦喟然叹曰：“妻不以我为夫，嫂不以我为叔，父母不以我为子，是皆秦之罪也！”乃夜发书，陈箧数十，得《太公阴符》[⑥]之谋，伏而诵之，简练以为揣摩。读书欲睡，引锥自刺其股，血流至足。曰：“安有说人主不能出其金玉锦绣，取卿相之尊者乎？”期年，揣摩成，曰：

"此真可以说当世之君矣！"

【注释】

①羸（léi）：缠绕。縢（téng）：绑腿布。蹻（juē）：草鞋。②橐（tuó）：囊，口袋。③犁黑：同"黧黑"，形容人身材魁梧，肤色黑里带黄。④状有归色：有惭愧的神色。归，通"愧"。⑤纴（rèn）：织布帛的纱缕，指纺织机。⑥《太公阴符》：兵书。

【译文】

游说秦王的书简上了十次都被秦王拒绝了。黑貂皮袄穿破了，百斤的黄金用完了，生活的费用也花光了，于是苏秦离开了秦国，回到洛阳。他缠着裹腿，穿着草鞋，背着书袋，挑着行李，神情憔悴，面目发黑，满脸惭愧之色。回到家里，妻子不下织布机迎接他，嫂子不肯给他做饭，父母不和他说话。苏秦叹了口气，说："妻子不把我当丈夫，嫂子不把我当小叔，父母不把我当儿子，这都是我苏秦自己的罪过啊。"于是，苏秦当夜就拿出书本，又打开几十个书箱，从中找到《太公阴符》，伏案诵读兵法，选择精要处反复钻研。读到昏昏欲睡的时候，就拿锥子扎自己的大腿，以致鲜血一直流到脚跟。他说："哪有游说君主而不能让他们掏出金玉锦绣，得到公卿相国的尊贵地位的呢？"过了一年，苏秦学有所得，他说："现在我真的可以去游说当世的君王了。"

【原文】

于是乃摩[①]燕乌集阙[②]，见说赵王于华屋之下，抵[③]掌而谈。赵王大悦，封为武安君，受相印，革车百乘，锦绣千纯，白璧百双，黄金万溢[④]，以随其后，约从散横，以抑强秦。

故苏秦相于赵而关不通。当此之时，天下之大，万民之众，王侯之威，谋臣之权，皆欲决苏秦之策。不费斗粮，未烦一兵，未战一士，未绝一弦，未折一矢，诸侯相亲，贤于兄弟。夫贤人在而天下服，一人用而天下从。故曰：式[⑤]于政，不式于勇；式于廊庙之内，不式于四境之外。当秦之隆，黄金万溢为用，转毂连骑，炫熿于道，山东之国[⑥]，从风而服，使赵大重。

【注释】

①摩：接近。②燕乌集阙：宫阙名。③抵（zhǐ）：拍击。④溢：通“镒”，二十两（一说为二十四两）为一镒。⑤式：运用。⑥山东之国：秦国人对崤山以东六国的称呼。

【译文】

于是苏秦就来到燕乌集阙，在华丽的宫殿之下游说赵王，二人谈得甚是投机。赵王十分高兴，封他为武安君，并授以相印，兵车百辆，锦绣千匹，白璧百双，黄金二十万两，派车队尾随其后，命其到各国去约定合纵，拆散连横，以此压制强秦。

因此，当苏秦在赵国做宰相时，各国都断绝了和秦的联系，六国的要塞也都不和秦国相通了。那个时候，天下各地、众多的平民百姓、威武的王侯和掌权的谋臣，都要听从苏秦一人的决策。没耗费一斗粮食，没劳烦一个兵卒，没有一个士兵参战，没有折断一张弓，没损失一支箭，诸侯们就相亲相爱，比亲兄弟还要亲近。只要有贤人在位，天下自然就会信服；一个这样的人得到任用，天下就会顺从。所以说，应该运用政治手段解决问题，不必用武力来处理事情；要在朝廷上谨慎谋划，而不必到边境上打仗。在苏秦仕途鼎盛的时候，二十万两黄金供他使用，车轮飞转，马队连绵，所到之处威风凛凛，崤山以东的各诸侯国像被风吹过的野草一样依附，赵国的地位大大提高。

【原文】

且夫苏秦特穷巷掘门[①]、桑户棬枢[②]之士耳，伏轼撙衔[③]，横历天下，廷说诸侯之王，杜左右之口，天下莫之能伉[④]。将说楚王，路过洛阳。父母闻之，清宫除道，张乐设饮，郊迎三十里。妻侧目而视，倾耳而听；嫂蛇行匍伏，四拜自跪而谢。苏秦曰：“嫂何前倨[⑤]而后卑也？”嫂曰：“以季子之位尊而多金。”苏秦曰：“嗟乎！贫穷则父母不子，富贵则亲戚畏惧。人生世上，势位富贵，盖[⑥]可忽乎哉？”

【注释】

①“且夫”句：特，只是，只不过。掘门，同“窟门”，简陋的土屋。②桑户棬（quān）枢：用桑树枝做成门，拿木条当门轴，形容家境贫寒。③伏轼撙（zǔn）衔：伏在车前的横木上，拉着马嚼子。形容苏秦乘车出游时的得意姿态。轼，车前横木。撙，勒住。④伉：通“抗”。⑤倨：傲慢。⑥盖：同“盍”，何。

【译文】

其实苏秦当初只不过是一个穷巷寒门中用桑树枝当门、用木条做门轴的穷士罢了，现在却扶着车前横木、拉着马嚼子，神气十足地游历天下，在朝廷上游说各诸侯国的君王，左右的亲信大臣都不敢开口，天下没有谁敢与他对抗。苏秦将要游说楚威王，在路过洛阳的时候，他的父母得到消息，赶紧打扫房舍，清理道路，奏起乐曲，摆上酒宴，去城外三十里的地方迎接他；他的妻子只敢斜着眼睛看他，侧着耳朵听他说话；而嫂子像蛇一样伏在地上，对苏秦一连拜了四拜，跪着谢罪。苏秦问：“嫂子你为什么之前对我那么傲慢，而现在又这样谦卑呢？”嫂子回答说：“因为现在小叔你地位尊显而且有那么多金钱。”苏秦说道：“唉！穷困落魄的时候，连父母都不认我这个儿子，富贵显赫之后，连亲戚都对我畏惧谦卑。人活在这个世界上，怎么能忽视权势和富贵呢！”

秦惠王谓寒泉子曰

【原文】

秦惠王谓寒泉子①曰：“苏秦欺寡人，欲以一人之智反覆东山之君，从以欺秦。赵固负其众，故先使苏秦以币帛②约乎诸侯。诸侯不可一，犹连鸡之不能俱止于栖亦明矣。寡人忿然，含怒日久，吾欲使武安子起③往喻意焉。”寒泉子曰："不可。夫攻城堕邑，请使武安子。善我国家使诸侯，请使客卿张仪[4]。"秦惠王曰："敬受命。"

【注释】

①寒泉子：秦惠王时代的官员，知人善用。②币帛：古代用作礼物的丝织品，泛指礼物。③武安子起：秦将白起，封武安君，故称。④"请使"句：客卿，战国时称呼非本国人而在本国担任高级官职的人。张仪，魏国人，首创连横这一外交策略，是战国时期著名的谋略家、外交家。

【译文】

秦惠王对寒泉子说："苏秦欺诈我，想要凭借一个人的智慧，去策反崤山以东六国的国君，企图合纵来欺扰秦国。赵国本来就自负人多势众，因此就派苏秦用重礼去联合诸侯，订立合纵盟约。然而，诸侯各怀异心，就像把很多鸡绑起来但它们也不能栖息在一处一样，合纵不成，这是很明显的。我对苏秦非常气愤，心怀怒气已经很久了，我打算派武安君白起前往崤山以东去开导诸侯。"寒泉子说："这可不行。如果是攻城略地，可以派武安君前往。如果为了维护我们秦国的利益，出使诸侯国，请您派客卿张仪为好。"秦惠王说："我接受先生的指教。"

说秦王曰

【原文】

说秦王曰[1]："臣闻之，弗知而言为不智，知而不言为不忠。为人臣不忠当死，言不审亦当死。虽然，臣愿悉言所闻，唯大王裁其罪。

"臣闻，天下阴燕阳魏[2]，连荆固齐[3]，收余韩[4]成从，将西面以与秦为难，臣窃笑之。世有三亡而天下得之，其此之谓乎！臣闻之曰：'以乱攻治者亡，以邪攻正者亡，以逆攻顺者亡。'今天下之府库不盈，囷仓[5]空虚，悉其士民，张军数十百万，白刃在前，斧质在后，而皆去走不能死，非其百姓不能死也，其上不能杀也。言赏则不与，言罚则不行，赏罚不行，故民不死也。

“今秦出号令而行赏罚，有功无功相事也。出其父母怀衽之中[6]，生未尝见寇也，闻战，顿足徒裼[7]，犯白刃，蹈煨炭[8]，断死于前者，比是也。夫断死与断生也不同，而民为之者，是贵奋也。一可以胜十，十可以胜百，百可以胜千，千可以胜万，万可以胜天下矣。

“今秦地形，断长续短，方数千里，名师数百万，秦之号令赏罚，地形利害，天下莫如也。以此与天下，天下不足兼而有也。是故秦战未尝不胜，攻未尝不取，所当未尝不破也。开地数千里，此其大功也，然而甲兵顿，士民病，蓄积索，田畴荒，囷仓虚，四邻诸侯不服，伯王之名不成，此无异故，谋臣皆不尽其忠也。

【注释】

①说秦王曰：旧作“张仪说秦王曰”，南宋鲍彪注释本删去“张仪”二字，因为策中所言皆张仪死后之事，绝非张仪所做。秦王，秦昭王。②阴燕阳魏：燕在赵之北，故曰阴；魏在赵之南，故曰阳。③连荆固齐：荆，这里指楚国。固，拉拢。④余韩：当时韩国比较弱小，丧失了很多土地，现存的只是它的残余部分。⑤囷（qūn）仓：粮仓。圆者为囷，方者为仓。⑥出其父母怀衽之中：被父母抚养成人。衽，衣襟。⑦裼（xī）：脱去外衣，露出身体。⑧煨（wēi）炭：火炭。作战时，以火炭置地，阻止敌人进攻。

【译文】

有人游说秦王道：“我常听人说：‘不知道事情的经过就开口是不明智的；明白事理，可以出谋划策却不开口，是不忠贞的。’作为一个臣子，对君王不忠诚就该死；说话不审慎也该死。尽管如此，但我仍然愿意把我所知道的见闻都说出来给大王听，请大王裁决。

“我听说，赵国北可以连燕，南可以连魏，联合荆楚，拉拢齐国，收罗残余的韩国势力，形成合纵的联合阵线，共同向西与秦国对抗。对此，我私下里感到好笑。天下有三种可能导致亡国的情况，而终会有人来收拾残局，说的可能就是如今的情形！我听人说：‘以内政混乱之国去攻打治理有序之国必遭败亡，以邪恶之国去攻打正义之国必遭败亡，以悖逆天道之国去攻打顺应天道之国必遭败亡。’如今诸侯国储藏财货的仓库和囤积米粮的仓库都不充实，诸侯征召全国百姓，发动上百万的军队，可即使前面有敌军的刀剑，身后有己方斧钺的威逼，军士们仍然退却逃跑，不能和敌人拼死一战。其实并不是他们的人民不肯死战，而是他们的统领不能带头冲杀。统领在口头上说奖赏却不曾给过，说要处罚却不执行，所以人民才不肯为国死战。

“如今秦国发号施令，赏罚严明，有功无功都按照实际情形进行奖惩。每个人从离开父母怀抱之时就没有见过敌人，所以一听说作战就奋勇地跺脚，决心死战，迎着敌人的白刃，踏着敌人的火炭，下定决心拼死阵前的人到处都是。一个人决心要战死和决心要逃生是不同的，但秦国人仍然愿意战死，这是把奋勇当作高贵品质的缘故。这么一来，一人可以战胜十人，十人可以战胜百人，百人可以战胜千人，千人可以战胜万人，万人可以战胜全天下。

“如今秦国的土地，截长补短，方圆有数千里，精兵数百万，军令如山，赏罚分明，地势优越，天下诸侯都比不上。用这种优越条件和天下诸侯争雄，全天下也不够秦国吞并的。因此，秦国出战没有不取胜的，进攻没有攻取不下来的，敌人没有不被攻克的。开拓土地几千里，这将是非常伟大的功业！然而，如今秦国军队疲惫，人民穷困，积蓄用绝，田园荒废，仓库空虚，四邻不肯臣服，霸业不能树立，这都是因为谋臣不尽忠。

【原文】

“臣敢言往昔。昔者齐南破荆[①]，中破宋[②]，西服秦[③]，北破燕，中使韩、魏之君[④]，地广而兵强；战胜攻取，诏令天下；济清、河浊，足以为限；长城、巨防，足以为塞。齐，五战之国也，一战不胜而无齐[⑤]。故由此观之，夫战者，万乘之存亡也。

“且臣闻之曰：‘削株掘根，无与祸邻，祸乃不存。’秦与荆人战，大破荆，袭郢⑥，取洞庭、五都⑦、江南。荆王亡走，东伏于陈⑧。当是之时，随荆以兵，则荆可举。举荆，则其民足贪也，地足利也。东以强齐、燕，中陵三晋，然则是一举而伯王之名可成也，四邻诸侯可朝也。而谋臣不为，引军而退，与荆人和。今荆人收亡国，聚散民，立社主，置宗庙，令帅天下西面以与秦为难，此固已无伯王之道一矣。

“天下有比志而军华下⑨，大王以诏破之，兵至梁郭，围梁数旬，则梁可拔。拔梁，则魏可举。举魏，则荆、赵之志绝。荆、赵之志绝，则赵危。赵危而荆孤。东以强齐、燕，中陵三晋。然则是一举而伯王之名可成也，四邻诸侯可朝也。而谋臣不为，引军而退，与魏氏和，令魏氏收亡国，聚散民，立社主，置宗庙，此固已无伯王之道二矣。

“前者穰侯⑩之治秦也，用一国之兵，而欲以成两国之功。是故兵终身暴露于外，士民潞病于内，伯王之名不成，此固已无伯王之道三矣。

【注释】

①南破荆：公元前301年，齐联合韩、魏伐楚，斩楚将唐昧。②中破宋：公元前286年，齐灭宋。③西服秦：公元前298年至前287年，齐与韩、魏联合攻秦，秦求和，归还了以前所占有的韩、魏的土地。④中使韩、魏之君：驱使韩、魏共同讨伐楚、秦。⑤一战不胜而无齐：公元前284年，燕昭王派乐毅率领燕、秦和三晋五国联军攻齐，攻下齐城七十余座，齐闵王出逃。⑥袭郢（yǐng）：公元前278年，秦将白起攻楚，攻下了楚都郢（位于今湖北江陵以北）。⑦五都：五渚，楚地，因洞庭湖北连长江，南接湘、沅、资、澧四水而得名。⑧陈：位于今河南淮阳。⑨华下：华阳城下，位于今河南新郑北四十五里。⑩穰（ráng）侯：姓魏名冉，秦昭王母宣太后的异父弟，因封邑在穰（位于今河南邓州市以北）而得名。

【译文】

“我斗胆说一说过去的事。过去，齐国往南击破了荆楚，往东战胜了宋国，往西征服了秦国，向北打败了燕国，在中原地带又使韩、魏两国唯命是从，地广兵强，攻城略地，战无不胜，号令天下诸侯。清清的济水和混浊的黄河都是它的天然屏障，又有长城和大坝可以作它的防守掩体。齐国是一连五次打胜仗的强国，可是只战败一次，齐国就灭亡了。由此可见，万乘大国的生死存亡取决于用兵作战。

“况且，我还听说：‘挖树要除根，不和祸患发生牵连，才能杜绝祸患。’秦国和楚国打仗，大败楚军，攻下了楚都郢城，又取得了洞庭湖、五都、江南等地，楚王被迫向东逃亡，蛰伏在陈地。那个时候，只要紧接着发兵攻打楚国，就可以彻底占领楚国。而拿下了楚国，楚民可为秦所用，楚地可为秦国提供便利。还可以对抗东面的齐、燕两国，在中原地区凌驾于三晋之上，一举完成霸业，使天下诸侯都来秦朝拜。然而，当时的谋臣没有这样做，反而率军撤退，和楚人讲和。如今楚国重整行将灭亡之国，聚集离散的百姓，恢复宗庙的祭祀，率领天下诸侯往西面来跟秦国对抗。这是秦国第一次失去建立霸业的机会。

“后来，诸侯联合，兵临华阳城下。大王下令反击，一直进兵到魏都大梁城外。当时只要持续围困几十天，就可以占领大梁城。占领了大梁，就可以攻下魏国。攻下魏国，就拆散了赵、楚联盟。拆散赵、楚联盟，赵国就会处于危难之地。赵国陷入危难之地，楚国就会孤立无援。这么一来，秦国向东可以威胁齐、燕，在中原地区可以驾驭三晋，一举建立霸业，使天下诸侯都来朝拜。然而谋臣没有这样做，反而率军撤退，与魏讲和，使魏国有了喘息的机会，这是秦国第二次失去建立霸业的机会。

“穰侯治理秦国时，想用一国的军队建立两国才能完成的功业。因此，即使军队在边境遭受风吹日晒雨淋，人民在国内劳苦疲惫，霸业也始终不能建立，这是秦国第三次失去建立霸业的机会。

【原文】

“赵氏，中央之国也，杂民之所居也，其民轻而难用，号令不治，赏罚不信，地形不便，上非能尽其民力，彼固亡国之形也，而不忧民氓[①]，悉其士民军于长平之下，以争韩之上党，大王以诏破之，拔武安[②]。当是时，赵氏上下不相亲也，贵贱不相信，然则是邯郸不守，拔邯郸，完河间[③]，引军而去，西攻修武[④]，逾羊肠，降代、上党[⑤]。代三十六县，上党十七县，不用一领甲，不苦一民，皆秦之有也。代、上党不战而已为秦矣，东阳、河外[⑥]不战而已反为齐矣，中山呼沲[⑦]以北不战而已为燕矣。

“然则是举赵则韩必亡，韩亡则荆、魏不能独立。荆、魏不能独立，则是一举而坏韩、蠹魏、挟荆，以东弱齐、燕，决白马之口[⑧]以流魏氏。一举而三晋亡，从者败。大王拱手以须[⑨]，天下遍随而伏，伯王之名可成也。而谋臣不为，引军而退，与赵氏为和。以大王之明，秦兵之强，伯王之业曾不可得，乃取欺于亡国，是谋臣之拙也。

“且夫赵当亡不亡，秦当伯不伯，天下固量秦之谋臣一矣。乃复悉卒以攻邯郸，不能拔也，弃甲兵弩，战栗而却，天下固量秦力二矣。军乃引退，并于李[⑩]下，大王又并军而至，与战非能厚胜之也，又交罢却，天下固量秦力三矣。内者量吾谋臣，外者极吾兵力。由是观之，臣以天下之从岂其难矣。内者吾甲兵顿，士民病，蓄积索，田畴荒，囷仓虚；外者天下比志甚固。愿大王有以虑之也！

“且臣闻之：‘战战栗栗，日慎一日。’苟慎其道，天下可有也。何以知其然也？昔者纣为天子，帅天下将甲百万，左饮于淇谷[⑪]，右饮于洹水[⑫]，淇水竭而洹水不流，以与周武为难。武王将素甲[⑬]三千领，战一日，破纣之国，禽其身，据其地，而有其民，天下莫伤。

“智伯[⑭]帅三国之众，以攻赵襄主[⑮]于晋阳，决水灌之。三年，城且拔矣。襄主错龟、数策、占兆[⑯]，以视利害，何国可降，而使张孟谈[17]。于是潜行而出，反智伯之约，得两国之众，以攻智伯之国，禽其身，以成襄子之功。今秦地断长续短，方数千里，名师数百万，秦国号令赏罚，地形利害，天下莫如也。以此与天下，天下可兼而有也。

“臣昧死望见大王，言所以一举破天下之从，举赵亡韩，臣荆、魏，亲齐、燕，以成伯王之，朝四邻诸侯之道。大王试听其说，一举而天下之从不破，赵不举，韩不亡，荆、魏不臣，齐、燕不亲，伯王之名不成，四邻诸侯不朝，大王斩臣以徇于国，以为王谋不忠者。”

【注释】

①氓（méng）：指从外地迁来之民。②武安：今河北武安。③河间：漳水、黄河之间，当时属于赵国的东部边境。④修武：今河南获嘉，当时属于赵国的城邑。⑤降代、上党：代，今山西东北部以及河北、内蒙古部分地区。上党，今山西东南部。⑥东阳、河外：东阳，太行山以东的地区。河外，今山东清河、武城一带。⑦中山呼沲：中山，国名，都城在河北定县，后来为赵所灭。呼沲，呼沱河，发源于山西繁峙，经河北、天津入海。⑧白马之口：黄河上的渡口，位于今河南滑县东。⑨须：通“胥”，等待。⑩李：李城，在今河南温县东。⑪淇谷：即淇水，发源于今山西陵川东境，流入卫河。⑫洹（huán）水：发源于今河南省林州市林虑山，流入卫河。⑬素甲：武王处于服丧期间，所以战士穿素服。⑭智伯：晋六卿之一，封地于智（在今山西永济市北）。六卿中智氏最强。⑮赵襄主：赵襄子，晋国六卿之一。⑯“襄主”句：错龟，凿龟，在龟甲上钻孔。数策，按一定的方式计算蓍（shī）草的茎数，奇数记为阳，偶数记为阴，根据卦象进行占卜。占兆，根据龟甲被灼烧之后裂开的纹路预测吉凶。兆，裂纹的形状。⑰张孟谈：赵襄子的谋臣。

【译文】

“赵国是位于中央位置的国家，各方百姓杂居的地方。民众轻浮而难以任用，号令无法施行，赏罚不诚信，地形上没有防守的便利，统治者也没有能力充分调动民力，这本来就是要亡国的形势。而统治者不体恤民情，把士兵和民众全都派到长平的战场上，去和韩国争夺上党。大王下令攻打赵国，而后占领了武安。那个时候，赵国君臣不和睦，官民不信任，那么邯郸一定无法固守，秦军应该攻下邯郸，占领河间，再率军向西攻打修武，穿过羊肠险阻，攻占代和上党。这样，不费一兵一卒，代郡的三十六个县、上党郡的十七个县就都是秦国的了。代和上党没有经过战争就已为秦国所有，赵国东阳、河外等地没有经过战争就归齐国所有，中山、呼沱河以北的土地没有经过战争就已为燕国所有。

“那么，攻下赵国，韩国必然灭亡；韩国灭亡，楚、魏就不能自主地存在。楚、魏不能自主地存在，就可以一举攻破韩国、折损魏国、挟持楚国，然后再往东去削弱齐、燕，挖开白马津的河口水淹魏国。如此，一举就可以灭三晋，而六国的合纵联盟也必将瓦解，大王只需拱手等待，天下诸侯就全都会相随臣服，霸王的名号就可以建立了。只可惜谋臣不但不这样做，反而率军撤退，跟赵国讲和。凭大王的贤明和秦军的强大，竟然建立不起天下霸主的基业，而且被即将灭亡的各诸侯国欺凌，这一切都是谋臣的愚昧笨拙导致的。

“赵国当亡不亡，秦国该称霸又不能称霸，天下人已看透了秦国谋臣，此其一。秦国曾用全国兵力去攻打邯郸，不但没有攻下，反而被打得丢盔卸甲，心生恐惧，这使天下人看透了秦军将士的斗志，此其二。军队撤退后，都聚集在李城，大王又重整军队与之再战，可是并没有取得大胜就纷纷撤退，使天下人看透了秦军的战斗力，此其三。天下人在内看透了秦国的谋臣，在外看透了秦国的兵力。由此看来，我认为诸侯的合纵力量是不难组织的。如今秦国的军队疲劳不堪，人民极端困顿，再加上积蓄用尽、田园荒芜、仓库空虚，而国外诸侯合纵联盟的决心十分坚固，形势危急。希望大王能多加考虑这件事！

“我又听人说：‘战战兢兢，日慎一日。’假如谨慎得法，可以占有全天下。怎么知道是这样呢？古代殷纣王率领天下百万大军出征，左边的军队还在淇谷饮马，右边的军队已到洹水喝水了，竟把淇水和洹水都喝干了。殷纣王用这么雄壮庞大的大军跟周武王作战，可是周武王只率领了三千名穿着素甲的战士迎敌，在甲子日一战就打败并活捉了纣王，俘虏了殷的全部臣民，拥有了殷的全部土地，天下竟没有一个人同情纣王。

“以前智伯率领韩、赵、魏三国的兵众前往晋阳，去攻打赵襄子。智伯掘开晋水，采取水攻。经过三年之久的攻打，当晋阳城快被攻下时，赵襄子用凿龟甲、数蓍草、看裂纹等方法进行占卜，看看自己命运的吉凶，预测双方到底谁败降，随后派赵国大臣张孟谈悄悄出城，破坏韩、魏与智伯的盟约，结果争取到韩、魏两国的合作，然后与两国合力攻打智伯，终于大败智伯的军队，俘虏了智伯本人，成就了一番功业。如今秦国的土地，截长补短，方圆有数千里，精兵数百万，号令严明，赏罚有信，地势优越，天下诸侯都比不上。如果秦国凭这种优势与天下诸侯争胜，就可以征服整个天下。

“我冒死前来求见大王，谈论怎样能够破坏天下的合纵势力，灭赵亡韩，迫使楚、魏称臣，联合齐、燕，建立霸王之业，让天下诸侯都来朝拜。请大王试着听听我的策略，假如不能一举而瓦解天下的合纵势力，攻不下赵，灭不了韩，不能使魏、楚称臣，齐、燕加盟，不能使霸王之业建立，也不能让天下诸侯来朝拜，那就请大王砍下我的头示众，以警诫那些为君主谋划而不尽忠的臣子。”

司马错与张仪争论于秦惠王前

【原文】

司马错[①]与张仪争论于秦惠王前。司马错欲伐蜀，张仪曰：“不如伐韩。”王曰：“请闻其说。”

对曰：“亲魏善楚，下兵三川[②]，塞轘辕[③]、缑氏[④]之口，当屯留之道，魏绝南阳[⑤]，楚临南郑[⑥]，秦攻新城、宜阳[⑦]，以临二周之郊，诛周主之罪，侵楚、魏之地。周自知不救，九鼎宝器必出。据宝鼎，案图籍，挟天子以令天下，天下莫敢不听，此王业也。今夫蜀，西辟之国，而戎狄之长也，弊兵劳众不足以成名，得其地不足以为利。臣闻：'争名者于朝，争利者于市。'今三川、周室，天下之市朝也，而王不争焉，顾⑧争于戎狄，去王业远矣。"

司马错曰："不然。臣闻之，欲富国者，务广其地；欲强兵者，务富其民；欲王者，务博其德。三资者备，而王随之矣。今王之地小民贫，故臣愿从事于易。夫蜀，西辟之国也，而戎狄之长也，而有桀、纣之乱。以秦攻之，譬如使豺狼逐群羊也。取其地，足以广国也；得其财，足以富民；缮兵不伤众，而彼已服矣。故拔一国，而天下不以为暴；利尽西海⑨，诸侯不以为贪。是我一举而名实两符，而又有禁暴正乱之名。今攻韩劫天子，劫天子，恶名也，而未必利也，又有不义之名，而攻天下之所不欲，危！臣请谒其故。周，天下之宗室也；齐，韩、周之与国也。周自知失九鼎，韩自知亡三川，则必将二国并力合谋，以因于齐、赵，而求解乎楚、魏。以鼎与楚，以地与魏，王不能禁。此臣所谓'危'，不如伐蜀之完也。"

惠王曰："善！寡人听子。"卒起兵伐蜀，十月取之，遂定蜀。蜀主更号为侯，而使陈庄⑩相蜀。蜀既属，秦益强富厚，轻诸侯。

【注释】

①司马错：秦将，魏惠王后元九年（前316）率兵灭蜀，昭襄王六年（前301）蜀侯叛乱，司马错再次平乱，后任蜀郡守。②三川：在今河南省西北部，黄河、伊河、洛河流经其地，故名。③轘（huán）辕：山名，在今河南巩义市西南，山路盘曲，地势险要。④缑（gōu）氏：在今河南省洛阳市偃师区东南，为军事要地。⑤南阳：在今河南省南阳市，因其在太行山南、黄河以北，故称南阳。⑥南郑：韩国都城，在今河南新郑市。此非汉中之南郑。⑦新城、宜阳：新城，在今河南伊川县西南。宜阳，地名，在今河南宜阳县西。⑧顾：反而。⑨西海：古人认为中国处于四海之内，蜀国在西部，故称之为"西海"。⑩陈庄：秦国大臣。

【译文】

司马错跟张仪在秦惠王面前争论战事。司马错主张先去攻打蜀国，张仪说：“不如先去攻打韩国。”秦惠王说：“请你们各自说说理由。”

张仪说：“我们先跟楚、魏两国结盟，然后再出兵三川，堵住轘辕和缑氏山的关口，挡住屯留的孤道，这样魏国就能阻止韩国出兵南阳，使楚军进逼韩国都城南郑，这时我们秦兵再攻打新城、宜阳，兵临东西周城外，惩罚二周的罪过，占领楚、魏两国的土地。周王自知无法解救，一定会交出九鼎等宝物。我们据有九鼎之后，再按照地图和户籍，假借周天子的名义号令诸侯，天下没有敢不听我们命令的，这才是霸王之业。现在的蜀国，只不过是西方一个边远小国，戎狄各族的首领，即使劳民伤财发兵前往攻打，也不足以因此而建立霸业。臣常听人说：‘争名的人要出入朝廷，争利的人要出入市场。’现在三川、周室乃是天下的朝廷和市场，可是大王却不去争，反而争夺戎、狄等蛮夷之邦，这距离霸王之业实在太远了。”

司马错说：“不是这样的，我听说，要想使国家富强，务必先扩张领土；要想兵强马壮，必须先使人民富足；要想得到天下，一定要先广施仁政。这三件事都做到以后，自然可以获得天下。如今大王地盘小，百姓穷，所以臣希望大王先从容易的地方着手。因为蜀国是一个偏僻小国，而且是戎狄各族的首领，并且有像夏桀、商纣一样的祸乱，如果用秦国的兵力去攻打蜀国，就好像派狼群去驱逐羊群一样简单。秦国得到蜀国的土地可以扩大版图，得到蜀国的财富可以使百姓富足；虽是用兵却不伤害一般百姓，并且又让蜀国自动屈服。秦灭掉了蜀这样的小国，诸侯不会认为秦暴虐；即使秦抢走蜀国的一切珍宝，诸侯也不会认为秦国贪婪。我们只要做伐蜀一件事，就可以名利双收，甚至还可以得到制止暴虐、平息骚乱的美名。去攻打韩国，劫持天子，这是一个千夫所指的恶名，不见得能获得什么利益，反而会落得一个不仁不义的坏名声。干天下人不愿做的事情，实在是一件危险的事。请让我讲明理由：周天子是天下的共主，同时齐是韩与周的友邦，一旦周知道自己要失掉九鼎，韩清楚自己要失去三川，两国必然精诚合作，联络齐、赵去解楚、魏之围，自动地把九鼎献给楚，把土地割让给魏，这一切大王是不能制止的，这也就是臣所说的危险所在。因此，攻打韩国是失策，先伐蜀才是万全之计。”

秦惠王说：“好！寡人听你的。”于是秦国就出兵攻打蜀，经过十个月的征讨，终于占领了蜀地，把蜀主的名号改为侯，并且派秦臣陈庄去辅佐蜀侯。蜀地划归秦国的版图之后，秦国越发强盛富足，而且更加轻视天下诸侯。

楚攻魏

【原文】

楚攻魏。张仪谓秦王[①]曰：“不如与魏以劲之，魏战胜，复听于秦，必入西河[②]之外；不胜，魏不能守，王必取之。”王用仪言，取皮氏[③]卒万人，车百乘，以与魏。犀首[④]战胜威王，魏兵罢弊，恐畏秦，果献西河之外。

【注释】

①秦王：秦惠王。②西河：魏国的西河郡，治所在今陕西东部的沿河地区。③皮氏：位于今山西河津以西。④犀首：指魏臣公孙衍。此处以官职指代人。

【译文】

楚国攻打魏国。张仪对秦惠王说：“您不如支持魏国以加强它的力量，假如魏国能战胜，它将听命于秦，一定会割让西河之外的土地给我们；假如魏国战败，它将无力防守，大王还可以将魏国夺过来。”秦王采纳了张仪的计策，从皮氏调派了将士万人和战车百辆，支援魏国。魏将公孙衍战胜了楚威王的军队，但魏军这时已经疲惫不堪，害怕秦国，果真把西河之外的地方献给了秦国。

张仪又恶陈轸于秦王

【原文】

张仪又恶陈轸①于秦王，曰："轸驰楚、秦之间，今楚不加善秦而善轸，然则是轸自为而不为国也。且轸欲去秦而之楚，王何不听乎？"

王谓陈轸曰："吾闻子欲去秦而之楚，信乎？"陈轸曰："然。"王曰："仪之言果信也。"曰："非独仪知之也，行道之人皆知之。曰孝己②爱其亲，天下欲以为子；子胥忠乎其君，天下欲以为臣。卖仆妾售乎闾巷者，良仆妾也；出妇嫁乡曲者，良妇也。吾不忠于君，楚亦何以轸为忠乎？忠且见弃，吾不之楚，何适乎？"秦王曰："善。"乃止之也。

【注释】

①陈轸：夏人，善游说，曾仕秦、楚。②孝己：商朝君主武丁之子，非常孝顺。

【译文】

张仪又在秦王前面说陈轸的坏话："陈轸奔走于楚国、秦国之间，如今楚国对秦国不友善，对陈轸却很好。既然这样，那么陈轸全是为了自己打算，而不是为了秦国。况且陈轸又打算离开秦国，到楚国去，大王为什么不明察此事呢？"

秦王对陈轸说："我听说你打算离开秦国，到楚国去，是真的吗？"陈轸回答说："是这样的。"秦王说："张仪的话果然是真的。"陈轸回答："不止张仪一个人知道这件事，就连路人也知道！常言道，孝己因为孝顺他的父母，全天下的父母都想把孝己当作自己的儿子；伍子胥忠于吴王，全天下的君王都想让伍子胥做自己的大臣。仆妾能卖给邻里的，这才是好仆妾；被休的妻子能改嫁到本乡的，就证明她是一个好女人。我如果不忠于您，楚王凭什么认为我会是个忠臣呢？我一片忠心尚且被遗弃，我不去楚国，又能到哪里去呢？”秦王说：“您说得有道理啊。”于是制止了陈轸离秦去楚的举动。

陈轸去楚之秦

【原文】

陈轸去楚之秦。张仪谓秦王曰：“陈轸为王臣，常以国情输楚。仪不能与从事，愿王逐之。即复之楚，愿王杀之。”王曰：“轸安敢之楚也。”

王召陈轸告之曰：“吾能听子言，子欲何之？请为子车约。”对曰：“臣愿之楚。”王曰：“仪以子为之楚，吾又自知子之楚。子非楚，且安之也！”轸曰：“臣出，必故之楚，以顺王与仪之策，而明①臣之楚与不也。楚人有两妻者，人诛②其长者，长者詈③之；诛其少者，少者许之。居无几何④，有两妻者死。客谓诛者曰：‘汝取长者乎？少者乎？’‘取长者。’客曰：‘长者詈汝，少者和汝，汝何为取长者？’曰：‘居彼人之所，则欲其许我也；今为我妻，则欲其为我詈人也。’今楚王明主也，而昭阳⑤贤相也。轸为人臣，而常以国情输楚王，王必不留臣，昭阳将不与臣从事矣。以此明臣之楚与不。”

轸出，张仪入，问王曰：“陈轸果安之？”王曰：“夫轸天下之辩士也，孰视寡人曰：‘轸必之楚。’寡人遂无奈何也。寡人因问曰：‘子必之楚也，则仪之言果信矣！’轸曰：‘非独仪之言也，行道之人皆知之。昔者子胥忠其君，天下皆欲以为臣；孝己爱其亲，天下皆欲以为子。故卖仆妾不出里巷而取者，良仆妾也；出妇嫁于乡里者，善妇也。

臣不忠于王，楚何以轸为？忠尚见弃，轸不之楚，而何之乎？’”王以为然，遂善待之。

【注释】

①明：表明，证明。②诳（tiǎo）：逗引，诱惑。③詈（lì）：责骂。④居无几何：过了没有多久。⑤昭阳：姓昭名阳，担任楚国的上柱国、令尹，掌握着楚国的军政大权。

【译文】

陈轸离开楚国前往秦国，张仪对秦惠王说：“陈轸身为大王的臣子，却常常把秦国的国情泄露给楚国。我不愿跟这样的人同朝共事，希望大王把他赶出秦国。如果他想重回楚国，希望大王杀掉他。”惠王说：“陈轸怎么敢回楚国呢？”

秦惠王召见陈轸并询问他说：“寡人尊重贤卿的意见，只要贤卿说出要到哪里，寡人就为你准备车马。”陈轸回答说：“我想要去楚国！”秦惠王说：“张仪认为你一定会去楚国，而寡人也知道你将去楚国，何况如果你不去楚国，又将在哪里安身呢？”陈轸说：“如此说来，我离开秦国以后，必然要故意去楚国，以顺从大王和张仪的策略和判断，并且表明我与楚国真正的关系。楚国有一个娶了两个妻子的人，有人去勾引他的长妻，长妻大骂勾引者；勾引少妻时，少妻欣然顺从了。没过多久，有两个妻子的男人死了，一位客人问勾引者：‘你是娶他的长妻，还是娶他的少妻呢？’勾引者回答说：‘我娶长妻！’客人问：‘长妻曾经骂过你，而少妻服从了你，你为什么反而要娶长妻呢？’勾引者说：‘当她们做别人的妻子时，我希望她们能够顺从我；如果做了我的妻子，我则希望她是会为我去责骂别人的。’如今楚王是一位明主，宰相昭阳是一位贤臣。我陈轸身为大王的臣子，如果经常把国事泄露给楚王，那么楚王必定因为上述的道理而不收留我，昭阳也不愿意跟臣同朝共事。我可以凭此证明我是否倾向于楚国。”

陈轸离开以后，张仪进来问秦惠王，说：“陈轸到底要去哪里？”惠王说：“那个陈轸真是天下的辩士呢，他认真地看着我，说：‘我陈轸一定要到楚国去。’我实在对他无可奈何，便问他：‘如果你一定要到楚国去，那么张仪的话就说对了！’陈轸说：‘不但张仪这么说，就是路人也都知道。从前伍子胥尽忠于吴王，天下的国君都想要他做臣子；孝己孝顺他的父母，天下的父母都想要他做儿子。所以，被卖给别人做仆妾的人，不出里巷就有人要的，一定是好仆妾；被遗弃的妇人，仍旧嫁在她的乡里的，也一定是好女人。我陈轸如果不忠于大王您，楚国还要我做什么呢？忠心的人尚且被人撵走，我不到楚国，还能到哪里去呢？’”秦惠王认为陈轸说得很对，便好好地对待他了。

齐助楚攻秦

【原文】

齐助楚攻秦，取曲沃[①]。其后，秦欲伐齐，齐、楚之交善，惠王患之，谓张仪曰：“吾欲伐齐，齐、楚方欢，子为寡人虑之，奈何？”张仪曰：“王其为臣约车并币[②]，臣请试之。”

张仪南见楚王，曰：“弊邑之王所说甚者，无大大王[③]；唯仪之所甚愿为臣者，亦无大大王。弊邑之王所甚憎者，亦无先齐王；唯仪之甚憎者，亦无大齐王。今齐王之罪，其于弊邑之王甚厚，弊邑欲伐之，而大国与之欢，是以弊邑之王不得事令，而仪不得为臣也。大王苟能闭关绝齐，臣请使秦王献商於之地，方六百里。若此，齐必弱，齐弱则必为王役[④]矣。则是北弱齐，西德于秦，而私商於之地以为利也，则此一计而三利俱至。”

【注释】

①曲沃：在今河南省陕州区。②并币：各种礼物。并，合，非一种之意。币，此指礼物。③无大大王：莫过于大王。④必为王役：为楚王所役使。

【译文】

齐国帮助楚国进攻秦国，攻取了曲沃。后来秦想要讨伐齐国，可是由于齐、楚两国亲善，秦惠王为此甚为担忧，对张仪说："寡人想要发兵讨伐齐国，无奈齐、楚两国关系密切，请贤卿为寡人考虑一下怎么办才好？"张仪说："请大王为臣准备车马和礼物，让臣去南方游说楚王试试看！"

于是张仪往南到楚国拜见楚怀王，说："敝国国王最敬重的人莫过于大王了，我也希望给大王你做臣子；敝国最痛恨的莫过于齐国，而臣张仪最不愿侍奉的君主莫过于齐王。如今齐国的罪恶对秦王来说十分严重，因此秦国才准备发兵征讨齐国，无奈贵国跟齐国邦交甚欢，因此秦王无法好好地侍奉大王您，我也无法做大王的忠臣。如果大王能关起国门，跟齐断绝邦交，让臣劝秦王献上方圆六百里的商於，齐就丧失了后援，必定走向衰弱；齐走向衰弱以后，必然会听从大王号令。大王如果能这样做，楚国不但在北面削弱了齐国的势力，还在西南对秦国施加恩惠，同时更获得了商於六百里的土地，这真是一举三得的上策。"

【原文】

楚王大说[①]，宣言之于朝廷，曰："不毂[②]得商於之田，方六百里。"群臣闻见者毕贺，陈轸后见，独不贺。楚王曰："不毂不烦一兵，不伤一人，而得商於之地六百里，寡人自以为智矣！诸士大夫皆贺，子独不贺，何也？"陈轸对曰："臣见商於之地不可得，而患必至也，故不敢妄贺。"王曰："何也？"对曰："夫秦所以重王者，以王有齐也。今地未可得而齐先绝，是楚孤也，秦又何重孤国？且先出地后绝齐，秦计必弗为也。先绝齐后责地，且必受欺于张仪。受欺于张仪，王必悔之。是西生秦患，北绝齐交，则两国兵必至矣。"楚王不听，曰："吾事善矣！子其弭口无言，以待吾事。"楚王使人绝齐，使者未来，又重绝之。

张仪反，秦使人使齐，齐、秦之交阴合。楚因使一将军受地于秦。张仪至，称病不朝。楚王曰："张子以寡人不绝于齐乎？”乃使勇士往詈齐王。张仪知楚绝齐也，乃出见使者曰：“从某至某，广从六里。”使者曰：“臣闻六百里，不闻六里。”仪曰：“仪固以小人，安得六百里？”使者反报楚王，楚王大怒，欲兴师伐秦。陈轸曰：“臣可以言乎？”王曰：“可矣。”轸曰：“伐秦非计也，王不如因而赂之一名都，与之伐齐，是我亡于秦而取偿于齐也。楚国不尚全乎？王今已绝齐，而责欺于秦，是吾合齐、秦之交也，国必大伤。”

楚王不听，遂举兵伐秦。秦与齐合，韩氏从之。楚兵大败于杜陵[3]。故楚之土壤士民非削弱，仅以救亡者，计失于陈轸，过听于张仪。

【注释】

①说：同“悦”。②不穀：古代诸侯谦称自己。③杜陵：楚邑，在今陕西西安。

【译文】

楚怀王一听，非常高兴，便在朝廷上宣布：“寡人已经从秦国得到商於六百里的土地！”群臣听了怀王的宣布，都向怀王道贺，客卿陈轸最后觐见，只有他不向怀王道贺。怀王很诧异地问：“寡人不劳烦一兵，也不伤一人，就得到商於六百里的土地，寡人认为这是一次外交上的大胜利，朝中文武百官都向寡人道贺，只有你一人不道贺，这是为什么？”陈轸回答说：“我认为，大王不但得不到商於六百里，反而会招来祸患，所以臣才不敢随便向大王道贺。”怀王问：“什么道理呢？”陈轸回答说：“秦王之所以重视大王，是因为有齐国这样一个强大的盟邦。如今秦国还没把地割给大王，大王就跟齐国断绝邦交，如此就会使楚国陷入孤立状态，秦国又怎会重视一个孤立无援的国家呢？何况如果先让秦国割让土地，楚国再跟齐断绝邦交，秦国必不肯这样做；要是楚国先跟齐国断交，再向秦要求割让土地，必然会遭到张仪的欺骗而得不到土地。受了张仪的欺骗，以后大王必然懊悔万分。结果是西面惹出秦国的祸患，北面切断了齐国的后援，这样秦、齐两国的兵都将进攻楚国。”楚王不听从，说：“我的事已经办妥当了，你就闭嘴，不要再多说，等待寡人来处理这件事吧！”于是怀王就派使者前往齐国，宣布跟齐断绝邦交，还没等第一个绝交使者回来，楚王竟急着第二次派人去与齐国绝交。

张仪回到秦国之后，秦王就赶紧派使者前往齐国游说，秦、齐的盟约暗中缔结成功。果然不出陈轸所料，当楚国一名将军去秦国接收土地时，张仪为了躲避楚国的索土使臣，竟然装病不上朝，楚怀王说：“张仪以为寡人不愿诚心跟齐国断交吗？”就派了一名勇士前去骂齐王，张仪在证实楚、齐确实断交以后，才勉强出来接见楚国的索土使臣，说：“敝国赠送给贵国的土地，是这里到那里，方圆总共是六里。”楚国使者很惊讶地说：“我听说是六百里，没有听说是六里。”张仪赶紧郑重其事地巧辩说：“我张仪在秦国只不过是一个微不足道的小官，怎么能说有六百里呢？”楚国使节回国报告楚怀王以后，怀王大怒，准备发兵去攻打秦国。这时陈轸走到楚王面前表示：“现在我可以说话了吗？”怀王说：“可以。”于是陈轸说：“楚国发兵去攻打秦国，绝对不是一个好办法。大王不如趁此机会，不但不向秦国索要商於六百里的土地，反而再送给秦国一个大都市，目的是跟秦联兵伐齐，如此或许可以把损失在秦国手里的土地再从齐国那里拿回来，这不就等于楚国没有损失吗？大王已经跟齐国绝交，现在又去责备秦国的失信，岂不是在加强秦、齐两国的邦交吗？这样的话，楚国必受大害！”

可惜楚怀王仍然没有采纳陈轸的忠谏，而是照原计划发兵北去攻打秦国。秦、齐两国组成联合阵线，同时韩宣王也加入了这一军事同盟，楚军在杜陵被三国联军打败。结果，楚国不但被削弱，而且差点灭亡，这都是由于没有采用陈轸的计策，错误地听信了张仪的花言巧语。

楚绝齐

【原文】

楚绝齐，齐举兵伐楚。陈轸谓楚王曰：“王不如以地东解于齐，西讲于秦。”

楚王使陈轸之秦。秦王谓轸曰：“子，秦人也，寡人与子故也，寡人不佞①，不能亲国事也，故子弃寡人事楚王。今齐、楚相伐，或谓救之便，或谓救之不便，子独不可以忠为子主计，以其余为寡人乎？”陈轸曰：“王独不闻吴人之游楚者②乎？楚王甚爱之，病，故使人问之，曰：‘诚病乎？意亦思乎③？’左右曰：‘臣不知其思与不思，诚思，则将吴吟。’今轸将为王‘吴吟’。王不闻管与④之说乎？有两虎诤⑤人而斗者，管庄子⑥将刺之，管与止之曰：‘虎者，戾虫；人者，甘饵也。今两虎诤人而斗，小者必死，大者必伤。子待伤虎而刺之，则是一举而兼两虎也。无刺一虎之劳，而有刺两虎之名。’齐、楚今战，战必败一。败，王起兵救之，有救齐之利，而无伐楚之害。计听知覆逆者，唯王可也。计者，事之本也；听者，存亡之机。计失而听过，能有国者寡也。故曰：‘计有一二者难悖也，听无失本末者难惑。’”

【注释】

①不佞：没有才能，自谦之言。佞，才智。②游楚者：在楚国做官的人。③意亦思乎：或者只是思念吴国吗？意，通“抑”，或者。亦，只是。④管与：鲁人，其事不详。⑤诤：同“争”。⑥管庄子：即卞庄子，春秋时鲁国勇士。

【译文】

楚国与齐断交后，齐发兵讨伐楚国。陈轸对楚怀王说：“大王不如把土地送给东方的齐国求得和解，然后再跟西方的秦国建立邦交。”

于是楚怀王派陈轸出使秦国。秦惠王对陈轸说："你本来就是秦国人，而且我和你是故交。可惜寡人不能识才，对于处理国家大事又欠周详，以致你离开寡人去侍奉楚王。如今齐、楚两国互相攻伐，有的人认为制止有利，有的人认为制止无利。你为何不在为楚国效忠之余，给我出一点主意呢？"陈轸说："大王难道没听说过吴国人到楚国去做官的故事吗？楚王很欣赏这位客卿，有一次这位客卿生了病，楚王就派人去问候，说：'是真生病，还是思念吴国呢？'左右侍臣回答说：'不知道他是不是思乡，果真是思乡的话，那他就要唱吴歌了。'如今我就准备为大王唱吴歌。不知大王有没有听说管与的故事？这个故事是说有两只老虎，因为争吃人肉而打斗起来，管庄子准备去刺杀这两只虎，管与赶忙来制止，说：'老虎是贪狠的大虫，人肉是它们最香甜的食物，如今两只老虎为争吃人肉而打斗，弱小的一方必然因斗败而死，强大的一方也必然因苦斗而伤，你就等着去刺杀那只受伤的大虎吧！这是一举而杀两虎的妙计，不用费杀死一只老虎的辛苦，却能兼得刺杀两只虎的英名。'如今齐、楚两国苦战，战则必有一方失败，如果齐国败了，大王再出兵救援，既能获得救齐的好处，而又没有伐楚的危险与害处。是否听从我的计谋，预知事情的反复逆顺，就全由大王自己定夺了。计谋是做事的根本，听从良计是国家存亡的关键。计谋错了，又听从错计，能保住的国家很少。所以说：'计谋要反复思虑才不会出错，听从本末兼顾的建议才不会被迷惑。'"

医扁鹊见秦武王

【原文】

医扁鹊[1]见秦武王，武王示之病，扁鹊请除。左右曰："君之病，在耳之前，目之下，除之未必已也，将使耳不聪，目不明。”君以告扁鹊。扁鹊怒而投其石[2]曰：“君与知之者谋之，而与不知者败之。使此知秦国之政也，则君一举而亡国矣。”

【注释】

①扁鹊：战国时名医，姓秦名越人，渤海郡（今河北省）人，医疗经验丰富，擅长各科疾病，反对巫术治病。入秦后，太医令李醯（xī）自知不如，派人将他刺死。②石：石针，即砭，古人用以扎皮肉来治病。

【译文】

医生扁鹊拜见秦武王，武王向扁鹊陈述了自己的病情，扁鹊请求为武王治病。武王身边的人说："大王的病在耳朵的前面，眼睛的下面，治疗不一定能根除，弄不好反而会使听力受损，视力不清。"武王把这话告诉了扁鹊，扁鹊愤怒地丢掉石针，说："大王让懂医术的人治病，又让不懂医道的人从中破坏。由此可知秦国的国政了。大王如果用此法治国，一举就可以使国家覆灭了。"

秦武王谓甘茂曰

【原文】

秦武王谓甘茂曰："寡人欲车通三川，以窥周室，而寡人死不朽矣。"甘茂对曰："请之魏，约伐韩。"王令向寿[1]辅行。

甘茂至魏，谓向寿："子归告王曰：'魏听臣矣，然愿王勿攻也。'事成，尽以为子功。"向寿归以告王，王迎甘茂于息壤[2]。

甘茂至，王问其故。对曰："宜阳，大县也，上党、南阳积之久矣，名为县，其实郡也。今王倍数险，行千里而攻之，难矣。臣闻张仪西并巴、蜀之地，北取西河之外，南取上庸[3]，天下不以为多张仪，而贤先王。魏文侯令乐羊[4]将，攻中山，三年而拔之，乐羊反而语功，文侯示之谤书一箧，乐羊再拜稽首[5]曰：'此非臣之功，主君之力也。'今臣羁旅之臣也，樗里疾、公孙郝[6]二人者，挟韩而议，王必听之，是王欺魏，而臣受公仲侈之怨也。

"昔者曾子[7]处费，费[8]人有与曾子同名族者而杀人，人告曾子母曰："曾参杀人。'曾子之母曰：'吾子不杀人。'织自若。有顷焉，人又曰：'曾参杀人。'其母尚织自若也。顷之，一人又告之曰：'曾参杀人。'其母惧，投杼逾墙而走。夫以曾参之贤与母之信也，而三人疑之，则慈母不能信也。今臣贤不及曾子，而王之信臣又未若曾子之母也，疑臣者不适[9]三人，臣恐王为臣之投杼也。"王曰："寡人不听也，请与子盟。"于是与之盟于息壤。

果攻宜阳，五月而不能拔也。樗里疾、公孙郝二人在争之王，王将听之，召甘茂而告之。甘茂对曰："息壤在彼。"王曰："有之。"因悉起兵，复使甘茂攻之，遂拔宜阳。

【注释】

①向寿：秦昭王母亲宣太后的外族，为秦武王所亲近。秦军攻克宜阳之后，秦王即派他驻守宜阳。②息壤：在今陕西咸阳市东郊。③上庸：在今湖北竹山县西南。④乐羊：魏文侯手下的将领。⑤稽（qǐ）首：叩头至地并作较长时间的停留，是最隆重的礼节。⑥樗里疾、公孙郝：二人都是秦国的公族，都主张亲韩。⑦曾子：曾参，字子舆，春秋时鲁国人，孔子的弟子。⑧费：地名，故城在今山东费县西南。⑨不适（chì）：不仅。适，通"啻"。

【译文】

秦武王对甘茂说："我想出兵打通三川，以便窥探周王朝，那样的话，我就是死了，我的功业也会不朽的。"甘茂回答说："请允许我去魏国，与他们相约一起攻打韩国。"于是，武王派遣向寿做甘茂的副使，命二人一起出使魏国。

甘茂来到魏国，对向寿说："您回去告诉武王：'魏王已同意与我结盟。但希望大王不要进攻韩国。’这件事办成了，一切功劳都归你。”向寿回国把这话告诉了武王，武王便到息壤去迎接甘茂。

甘茂到了息壤，武王问他不要攻韩的缘故，甘茂回答说：“宜阳是韩国的大县，聚积了上党和南阳两地的财富，它名义上是县，实际上相当于一个郡。如今大王要面对重重险阻，将士们要跋涉千里去攻打宜阳，实在太难！我听说，张仪向西兼并了巴、蜀，在北面取得了西河郡之外的地方，南下占有了上庸，而天下人并不因此而称赞张仪，却认为先王是贤明的。魏文侯派乐羊领兵攻打中山，三年就攻了下来。乐羊返回魏国称赞自己的功劳时，魏文侯拿出整整一箱群臣诽谤乐羊的书函给乐羊看，乐羊拜了两拜，叩头至地，说：‘这不是我的功劳，是主上的力量啊！’我现在只不过是秦国的羁旅之臣，樗里疾、公孙郝这两个人抱着对韩国的偏心，非议攻韩之举，大王必会听从。如果是这样，大王就欺骗了魏国，而我也将受到韩国相国公仲倗的怨恨。

“从前曾参住在费地，费地有个和曾参同姓同名的人杀了人。有人告诉曾参的母亲：‘曾参杀人了。’曾参的母亲说：‘我的儿子不会杀人。’她只管织布。过了一会儿，又有人跑来说：‘曾参杀人了。’曾参的母亲还是只管织布。又过了一会儿，又来了一个人说：‘曾参杀人了。’曾参的母亲害怕起来，丢下织布梭子，翻墙逃跑了。曾参这样贤德，他的母亲对自己的儿子又是那样信任，可是只需三个人说他杀了人，他的母亲便疑惑了，怀疑起他来。现在我不如曾参贤能，大王相信我又比不上曾参的母亲相信曾参，怀疑我的人更不止三个，我担心大王也要因我而丢下织布梭子！”武王说：“我不会被他人的议论左右，让我们订立盟约吧！”因此便同甘茂在息壤订立了盟约。

甘茂攻打宜阳时，果然一连五个月还不能攻下。樗里疾和公孙郝二人就在武王面前非议攻打宜阳之事，以攻击甘茂，武王打算听从他们的意见，于是召见甘茂，说攻打宜阳确实是错误的。甘茂对武王说：“息壤的盟誓就摆在那里！”武王说：“确实有这回事。”于是调动了全部兵力，让甘茂继续进攻宜阳，终于如愿以偿。

甘茂亡秦且之齐

【原文】

甘茂亡秦且之齐[1]，出关[2]遇苏子[3]，曰：“君闻夫江上之处女[4]乎？”苏子曰：“不闻。”曰：“夫江上之处女，有家贫而无烛者，处女相与语，欲去之。家贫无烛者将去矣，谓处女曰：‘妾以无烛，故常先至，扫室布席，何爱余明之照四壁者？幸以赐妾，何妨于处女？妾自以有益于处女，何为去我？’处女相语以为然而留之。今臣不肖，弃逐于秦而出关，愿为足下扫室布席，幸无我逐也。”苏子曰：“善。请重公于齐。”

乃西说秦王曰：“甘茂，贤人，非恒士也。其居秦累世重矣[5]，自崤塞、溪谷，地形险易尽知之。彼若以齐约韩、魏，反以谋秦，是非秦之利也。”秦王曰：“然则奈何？”苏秦曰：“不如重其贽[6]、厚其禄以迎之。彼来则置之槐谷，终身勿出，天下何从图秦？”秦王曰：“善。”与之上卿[7]，以相迎之齐。甘茂辞不往。

苏秦为谓齐王曰：“甘茂，贤人也。今秦与之上卿，以相迎之，茂德王之赐，故不往，愿为王臣。今王何以礼之？王若不留，必不德王。彼以甘茂之贤，得擅用强秦之众，则难图也。”齐王曰：“善。”赐之上卿，命而处之。

【注释】

①甘茂亡秦且之齐：秦昭王元年（前306），甘茂为向寿、公孙郝等人所谗，故逃亡。且，将。②关：函谷关。③苏子：后文作“苏秦”，当时苏秦正为齐出使于秦。④处女：未出嫁的女子。⑤其居秦累世重矣：甘茂曾先后辅佐过

战国策

秦惠王、武王、昭王，所以说他数世受重用。⑥贽（zhì）：古代人见面时馈赠对方的礼物。⑦上卿：最高的爵位。

【译文】

甘茂从秦国出逃，将要去齐国。出了函谷关，遇见了苏秦，说："您听说过江上少女的故事吗？"苏秦说："没有。"甘茂说："在江上的众多女子中，有一个家里贫穷得没有烛火的女子。其他的少女商量了一番，决定把她赶走。家贫无烛的那个少女准备离去，临行时对其他少女说：'我因为没有烛，所以经常先到，打扫屋子，铺好席子。你们为何吝惜那一点余光呢？大方地赐一点给我，你们又有什么损失呢？我自认为对你们还是有益处的，为什么你们一定要赶我走呢？'少女们又商量了一番，都认为她说得对，就把她留下来了。现在我由于没有本领，被秦国赶到关外，我愿意为您打扫屋子、铺席子，请不要把我赶走。"苏秦说："好，我会设法让齐国重用您的。"

苏秦就西行至秦国，向秦王进言说："甘茂非常贤能，不是寻常人。他受到秦国几代君王的重用，从崤山、函谷关直至溪谷等复杂的地形情况，他都一清二楚。他如果通过齐国联合韩、魏，反过来算计秦国，对秦国是没有什么好处的。"秦王说："既然这样，那么该怎么办呢？"苏秦说："您不如用贵重的礼物和丰厚的俸禄去接他回秦国。他要是回来了，您可以把他安置在槐谷，让他终生都不得出逃，这么一来，诸侯又凭什么算计秦国呢？"秦王说："好。"于是给甘茂以上卿的高位，拿了相印到齐国去迎接他。甘茂推辞不去。

苏秦回到齐国之后对齐王说："甘茂是个贤能的人，如今秦王请他去做上卿，拿了相印去迎接他。但甘茂因为感激您的恩赐，所以没去秦国，希望做大王的臣子。大王您打算怎样对待他？如果您不留下他，他一定不会再感激大王。以甘茂的才能，统率强秦的军队一定易如反掌，到时秦国就难以对付了。"齐王说："好。"于是，赐甘茂为上卿，使他留在齐国。

秦宣太后爱魏丑夫

【原文】

秦宣太后[1]爱魏丑夫[2]。太后病将死，出令曰："为我葬，必以魏子为殉。"魏子患之。庸芮[3]为魏子说太后曰："以死者为有知乎？"太后曰："无知也。"曰："若太后之神灵，明知死者之无知矣，何为空以生所爱葬于无知之死人哉？若死者有知，先王积怒之日久矣，太后救过不赡，何暇乃私魏丑夫乎？"太后曰："善。"乃止。

【注释】

①秦宣太后：秦惠王的皇后，昭襄王之母，故言"太后"。②魏丑夫：魏人，秦宣太后的男宠。③庸芮：人名，秦臣。

【译文】

秦宣太后爱恋魏丑夫，她在病重将死时下令说："给我安葬的时候，一定要让魏丑夫为我殉葬。"魏丑夫为此非常害怕。庸芮为魏丑夫对宣太后说："人死之后还会有知觉吗？"宣太后说："没有知觉了。"庸芮说："太后明明知道死人是没有知觉的，为什么还要让自己所爱的活人白白地为您殉葬呢？假如死人有知觉的话，那么先王在九泉之下已经积怨很久了，太后您弥补自己的过失还来不及呢，哪里还有闲暇去爱魏丑夫？"宣太后说："好。"于是没有坚持让魏丑夫为她殉葬。

秦客卿造谓穰侯曰

【原文】

秦客卿造[1]谓穰侯曰："秦封君以陶[2]，藉君天下数年矣。攻齐之事成，陶为万乘，长小国，率以朝天子，天下必听，五伯之事也；攻齐不成，陶为邻恤[3]而莫之据也。故攻齐之于陶也，存亡之机也。君欲成之，何不使人谓燕相国[4]曰：‘圣人不能为时，时至亦弗失。舜虽贤，不遇尧也，不得为天子；汤、武虽贤，不当桀、纣不王。故以舜、汤、武之贤，不遭时不得帝王。令攻齐，此君之大时也已。因天下之力，伐雠国之齐，报惠王之耻[5]，成昭王之功[6]，除万世之害，此燕之长利而君之大名也。书云：“树德莫如滋，除害莫如尽。”吴不亡越，越故亡吴；齐不亡燕，燕故亡齐[7]。齐亡于燕，吴亡于越，此除疾不尽也。非以此时也，成君之功，除君之害，秦卒有他事而从齐，齐、秦合，其雠君必深矣。挟君之雠以诛于燕，后虽悔之，不可得也已。君悉燕兵而疾攻之，天下之从君也，若报父子之仇。诚能亡齐，封君于河南[8]，为万乘，达除于中国，南与陶为邻，世世无患。愿君之专志于攻齐，而无他虑也。’”

【注释】

①造：客卿的名字。②陶：在今山东定陶西北。③邻恤：当作“廉监”，是用来磨玉的石头，这里指没有太大价值的东西。④燕相国：指燕成安君公孙操。⑤惠王之耻：燕惠王即位之初，用骑劫代乐毅去攻打齐国，齐国贵族田单凭借即墨击败燕军，燕所得齐地尽失。⑥昭王之功：指燕昭王用乐毅破齐一事。⑦齐不亡燕，燕故亡齐：公元前314年，齐宣王趁燕国内乱之机进攻燕国，燕国面临亡国的危险，这时燕昭王即位，他派乐毅率大军攻齐，差一点灭掉齐国。⑧河南：黄河以南。

【译文】

秦国客卿造对穰侯说：“秦把陶邑赐给您，借助您控制天下已经好几年了。如果攻打齐国的事成功了，陶就是拥有万乘的大国了，您将成为各小国的首领，可以率领他们朝拜天子，成就五霸那样的伟业；如果攻打齐国的事情不成功，陶就会成为一件摆设，没有依靠。所以，进攻齐国对陶来说是存亡的关键。如果您想办成这件事情，为什么不派人对燕相国公孙操说：‘圣人不能创造天时，却能在时机来临时努力把握时机。舜虽然贤能，也得遇到尧帝才能成为天子，商汤、周武王虽贤能，也需要有阻挡夏桀和商纣的暴政的功劳才能称王于天下。所以，即使是贤明的虞舜、商汤和周武王，如果不遇到时机，也都不可能成为帝王。如今，进攻齐国是您的大好时机啊！凭借诸侯之力，征伐敌对的齐国，洗刷惠王失败的耻辱，完成昭王未竟的功业，除掉千秋万世的祸害，这是燕国的长远利益所在，也能让您成就名气。《尚书》上说：'树立德行应促其增长，铲除祸害要干净彻底。'吴国不乘势灭掉越国，越国必然会消灭吴国；齐国不乘势灭掉燕国，燕国因此灭了齐国。齐国几乎被燕国所灭，吴国最终被越国攻克，这都是因为除害不彻底。不在这个时候完成您的功业，除掉您的祸害，万一秦国突然发生其他变故，因而联合齐国，齐、秦两国必定深深地仇恨您。和您的仇敌一道讨伐燕国，到那时，即使后悔也无济于事了。如果您动员燕国的全部兵力，迅速攻打齐国，那么天下诸侯就会像报父子之仇那样响应您。真要能够灭掉齐国，我们将把黄河以南一带作为您的封地，您还将拥有万辆兵车，并能在中原各地畅通无阻，南面与陶邑为邻，永世没有祸患，希望您专心进攻齐国，不要有其他考虑。"

范子因王稽入秦

【原文】

范子①因王稽②入秦，献书昭王曰："臣闻明主莅正③，有功者不得不赏，有能者不得不官，劳大者其禄厚，功多者其爵尊，能治众者其官大。故不能者不敢当其职焉，能者亦不得蔽隐。使以臣之言为可，则行而益利其道；若将弗行，则久留臣无为也。语曰：'人主赏所爱而罚所恶；明主则不然，赏必加于有功，刑必断于有罪。’今臣之胸不足以当椹质[4]，要[5]不足以待斧钺，岂敢以疑事尝试于王乎？虽以臣为贱而轻辱臣，独不重任臣者，后无反复于王前耶！

【注释】

①范子：名雎（jū），字叔，魏人，著名的辩士。他曾遭受魏相魏齐之辱，由王稽载入秦国，改名张禄，封应侯。②王稽：秦国人，担任为国君传达信息和接待宾客之官。③莅正：主持国政。④椹（zhēn）质：古代斩犯人时垫在下面的木板。椹，同“砧”。⑤要：同“腰”。

【译文】

范雎随着王稽来到秦国，向秦昭王上书：“我听说圣明的君主对有功的人不会不奖赏，对有能力的人不会不安排官职。功劳大的人俸禄就多，战功多的人爵位就高，能治理民众的人官职就大。因此，没有才能的人不敢随便担任官职，真正有能力的人才也不会被埋没。假如大王认为我说得有道理，就请大王照此实行，这样做将更加有利于国家的政治；如果不打算将我的建议实行，那么长久地留着我也没有什么用。常言道：‘普通的君王奖赏他所喜爱的人而惩罚他所厌恶的人，但是圣明的君主不这样，而是赏功罚罪。’现在，我的胸膛当不了杀人用的垫板，我的腰板也抵不住利斧，哪里敢拿毫无把握的计策来让大王尝试呢？即使您认为我卑贱而轻视我，推荐我的人也会保证我的忠心，他在大王面前绝不会说话不算话，大王怎么可以不重视！

【原文】

“臣闻周有砥厄[1]，宋有结绿，梁有悬黎，楚有和璞，此四宝者，工之所失也，而为天下名器。然则圣王之所弃者，独不足以厚国家乎？臣闻善厚家者取之于国，善厚国者取之于诸侯。天下有明主，则诸侯不得擅厚矣。是何故也？为其割荣[2]也。良医知病人之死生，圣主明于成败之事，利则行之，害则舍之，疑则少尝之，虽尧、舜、禹、汤复生，弗能改已！

“语之至者，臣不敢载之于书；其浅者又不足听也。意者，臣愚而不阖[③]于王心耶，亡其言臣者将贱而不足听耶？非若是也，则臣之志，愿少赐游观之间[④]，望见足下而入之。”

书上，秦王说之，因谢王稽，使人持车召之。

【注释】

①砥（dǐ）厄（è）：美玉名。②割荣：分割天下人的荣耀，纳入自己手中。③阖：同“合”。④间（jiàn）：空隙。

【译文】

“我听说周有砥厄、宋有结绿、梁有悬黎、楚有和璞，这四件宝玉起初都是被优秀工匠所遗弃的，可最终都成为天下著名的玉器。既然这样，难道圣王所遗弃的人就不能使国家富强吗？我听说善于使自己的封地丰足的，向国内招揽人才；善于治国的，更要到各诸侯国中寻觅良臣。正因为天下有圣明的君主，各诸侯国才不可能独揽贤能之士。这是为什么呢？因为昏庸的诸侯们独揽荣耀和权利，而任人才流动。正如良医能预测病人的生死一样，明主能够洞察事情的成败，有利则为，有害则不为，犹豫不决则尝试而为之。即便尧、禹、汤等圣主死而复生，也无法改变这个道理。

“最深切的话，我不敢写在书上；而浅薄的话又不值得大王听取。我猜想，也许是我太愚钝，不符合大王的心意，也可能是因为推荐我的人地位鄙贱而不值得相信。如果这些都不是问题，那么我的想法是，希望大王能稍微腾出一点空余时间，让我面见您。”

这封奏书献上后，秦王十分高兴，向荐举贤才的王稽表示了谢意，并派专人驾车去请范雎。

范雎至秦

【原文】

范雎至秦，王[1]庭迎，谓范雎曰："寡人宜以身受令久矣。今者义渠[2]之事急，寡人日自请太后。今义渠之事已，寡人乃得以身受命。躬窃闵然不敏，敬执宾主之礼。"范雎辞让。

【注释】

①王：秦昭王。②义渠：羌族所建立的小国。

【译文】

范雎来到秦国，秦王亲自到宫殿前迎接他，对他说："我早就该亲自来领受您的教诲了。之前正好要处理义渠国的事务，我每天都得请示太后；现在义渠的事已经处理完了，我这才能够亲自领受您的教诲。我深深感到自己行动迟钝，现在请让我怀着谦恭履行宾主间的礼仪吧。"范雎表示谦让。

【原文】

是日见范雎，见者无不变色易容者。秦王屏左右，宫中虚无人，秦王跪[1]而请曰："先生何以幸教寡人？"范雎曰："唯唯。"有间，秦王复请，范雎曰："唯唯。"若是者三。秦王跽[2]曰："先生不幸教寡人乎？"范雎谢曰："非敢然也。臣闻始时吕尚之遇文王也，身为渔父而钓于渭阳[3]之滨耳。若是者，交疏也。已一说而立为太师，载与俱归者，其言深也。故文王果收功于吕尚，卒擅天下而身立为帝王。即使文王疏吕望而弗与深言，是周无天子之德，而文、武无与成其王也。今臣羁旅之臣也，交疏于王，而所愿陈者，皆匡君之事，处人骨肉之间，愿以陈臣之陋忠，而未知王之心也，所以王三问而不对者是也。

【注释】

①跪：古人席地而坐，坐时臀部压在脚跟上。②跽（jì）：双膝着地，上身挺直，表示敬意。③渭阳：渭水之北。古人称山南、水北为阳。

【译文】

这天凡是见到这场景的人，脸上无不表现出感动的神色。秦王让身旁的人退下，宫中只剩下他们两人，秦王坐在地上向范雎请教说："先生怎么指教我呢？"范雎只是应道："哦，哦。"不久，秦王又请教，范雎还是"哦，哦"应了两声。像这样连续三次。秦王跪在地上，挺着身子说："先生难道不肯教导我吗？"范雎致歉道："我不敢这样做。我听说吕尚遇到文王时还只是一个渔夫，在渭水北面钓鱼。在这个时候，他们交情浅薄。之后不久，文王聆听了他的一番言论，就任命他做太师，和他一起坐着车回去了，这是因为文王被他的言论深深地震撼了。之后文王果然因为重用吕尚而成就了功业，最终统一天下，成了君王。假如文王不重视吕尚，没有与吕尚进行深入的交流，那么文王就不具有天子的品德，也不会有人帮助文王、武王成就霸王之业。现在我只是一个旅居秦国的人，和大王的交情还比较浅，但想陈述的又都是纠正君王政务不当的重大问题，也是别人骨肉间的问题，我本想尽我微薄的忠心，但是又不知道大王的心意是怎样的，所以大王连续三次问我，我都不敢回答。

【原文】

"臣非有所畏而不敢言也，知今日言之于前，而明日伏诛于后，然臣弗敢畏也。大王信行臣之言，死不足以为臣患，亡不足以为臣忧，漆身而为厉，被发而为狂，不足以为臣耻。五帝之圣焉而死，三王之仁焉而死，五伯之贤焉而死，乌获①之力焉而死，奔、育②之勇焉而死。死者，人之所必不免也。处必然之势，可以少有补于秦，此臣之所大愿也。臣何患乎？

【注释】

①乌获：秦武王时的大力士。②奔、育：孟贲、夏育，战国时的勇士。

【译文】

“我并不是有什么畏惧而不敢直言。我知道，也许我今天在大王面前说出了自己的想法，明天可能就会被杀死，但是我并不因此就害怕。要是大王真能采纳我的意见，即使是死也不足以成为我的忧患，逃亡也不足以让我担心，身上涂漆涂得像生癞疮、披散着头发假装癫狂，也不足以成为我的耻辱。圣明的五帝难免一死，仁德的三王会死，贤能的五霸会死，力大无穷的乌获会死，孟贲、夏育这样的勇士也会死。死是任何人都不可避免的。面对必然要死的命运，能够稍稍对秦国有利就是我最大的愿望，我还有什么顾虑呢？

【原文】

“伍子胥橐载而出昭关[①]，夜行而昼伏，至于菱水[②]，无以饵其口，坐行蒲服[③]，乞食于吴市，卒兴吴国，阖庐[④]为霸。使臣得进谋如伍子胥，加之以幽囚，终身不复见，是臣说之行也，臣何忧乎？

【注释】

①伍子胥橐（tuó）载而出昭关：伍子胥，名员，楚国人，因佞臣费无极诬陷，其父兄被楚平王所杀，子胥由楚奔吴。橐，口袋，子胥藏身其中，被人用车拉着出关。②菱（líng）水：溧水，发源于今安徽芜湖，流入太湖。③蒲服：即匍匐，爬行。④阖庐：又作阖闾，春秋时吴国国君，名光。

【译文】

“伍子胥当年是藏在口袋里、被人用车拉着逃出昭关的，他晚上走路，白天躲藏，到了菱水，没有食物充饥，就跪着或爬着在吴国的集市上讨饭，后来终于使吴国兴盛，帮助吴王阖庐建立了霸业。如果我能像伍子胥一样为大王献计献策，而且我的计谋被采纳了，那么即使遭受囚禁，终身不能再和大王相见，我又有什么可忧虑呢？

【原文】

“箕子、接舆[①]，漆身而为厉，被发而为狂，无益于殷、楚。使臣得同行于箕子、接舆，可以补所贤之主，是臣之大荣也，臣又何耻乎？臣之所恐者，独恐臣死之后，天下见臣尽忠而身蹶也，是以杜口裹足，莫肯即秦耳。足下上畏太后之严，下惑奸臣之态；居深宫之中，不离保傅之手；终身暗惑，无与照奸；大者宗庙灭覆，小者身以孤危。此臣之所恐耳。若夫穷辱之事、死亡之患，臣弗敢畏也。臣死而秦治，贤于生也。”

【注释】

①箕子、接舆：箕子，殷纣王的叔父，屡次劝谏纣王都没有用，又不忍离去，就披头散发，假装发狂。接舆，春秋时楚国的隐士，佯狂避世。

【译文】

“箕子、接舆，身上涂漆涂得像生癞疮，披散着头发假装疯狂，可是对于殷、楚没有一点益处。假如我有和箕子、接舆同样的遭遇，但只要有益于我崇拜的君王，就是我最大的荣幸，我又怎么会感到羞耻呢？我所担心的是我死了以后，天下人见到我这样尽忠于大王，却终究还是失败，因此闭口不言、裹足不前，不肯来秦国。大王您向上害怕太后的威严，向下受到奸臣的迷惑；住在深宫里，离不开辅臣的照顾，终身不明道理，不能分辨出奸诈的行径。大而言之，国家会灭亡；小而言之，自身处于孤立而危险的境地。这才是我所恐惧的。至于穷困受辱的事、死亡的忧患，我并不畏惧。如果我死了却能换得秦国的安定，这比我活着还有价值。”

【原文】

秦王跽曰：“先生是何言也？夫秦国僻远，寡人愚不肖，先生乃幸至此，此天以寡人恩[①]先生，而存先王之宗庙也！寡人得受命于先生，此天所以幸先王而不弃其孤也！先生奈何而言若此？事无大小，上及太后，下至大臣，愿先生悉以教寡人。无疑寡人也。”范睢再拜，秦王亦再拜。

【注释】

①慁（hùn）：打扰。

【译文】

秦王挺直身子说道：“先生怎么这样说呢？秦国在偏僻边远的地方，我又愚笨不堪，先生竟然光临此地，这是上天让我来打扰先生，从而保存先王的宗庙祭祀啊！我能够聆听先生的教诲，这是上天眷顾先王而不抛弃他的子孙后代啊！先生为什么这样说呢？今后不论事情大小，上至太后，下至大臣，都请先生不要有什么顾虑，教我处理的办法。请先生相信我。”范雎拜了两拜，秦王也拜了两拜。

【原文】

范雎曰：“大王之国，北有甘泉、谷口[①]，南带泾、渭，右陇、蜀，左关、阪[②]；战车千乘，奋击百万。以秦卒之勇，车骑之多，以当诸侯，譬若驰韩卢而逐蹇兔也，霸王之业可致。今反闭关而不敢窥兵于山东者，是穰侯为国谋不忠，而大王之计有所失也。”

【注释】

①甘泉、谷口：甘泉，指位于今陕西淳化西北的甘泉山。谷口，泾水出山之处，位于今陕西礼泉。②关、阪：函谷关与龙阪。

【译文】

范雎说：“大王的国家，北边有甘泉、谷口等要塞，南边有泾水和渭水环绕，西面有陇山、蜀地等险峻之地，东面有函谷关、龙阪守护；此外您拥有千辆战车，百万精兵。凭借秦国勇敢的兵卒，众多的车马，对付其他诸侯国就如猛犬韩卢去追赶跛足的兔子一样，可以轻易成就霸王的功业。如今反而闭锁关门，不敢进攻东方各诸侯国，这是因为穰侯没有忠诚地为秦国考虑，大王的决策也有不当之处啊！”

【原文】

王曰：“愿闻所失计。”雎曰：“大王越韩、魏而攻强齐，非计也。少出师则不足以伤齐，多之则害于秦。臣意王之计，欲少出师而悉韩、魏之兵，则不义矣。今见与国之可亲；越人之国而攻，可乎？疏于计矣！昔者，齐人伐楚[①]，战胜，破军杀将，再辟千里，肤寸之地无得者，岂齐不欲地哉，形弗能有也！诸侯见齐之罢露，君臣之不亲，举兵而伐之，主辱军破，为天下笑。所以然者，以其伐楚而肥韩、魏也。此所谓藉贼兵而赍盗食者也。王不如远交而近攻，得寸则王之寸，得尺亦王之尺也。今舍此而远攻，不亦缪乎？

【注释】

①齐人伐楚：公元前286年，齐攻占了楚国的淮北地区。

【译文】

秦王说："我很想知道失误在哪里。"范雎说："大王越过韩、魏的国土去攻打强大的齐国，这不是好计谋。您派出的军队少了，就不能打败齐国；军队多了，则会损害到秦国。我揣测大王想少派军队，而让韩、魏全力投入战斗，但这是不正当的。如今，您自认为盟国韩、魏可靠，越过他们去攻打齐国，这能行吗？这是谋划不周全啊！从前，齐国去攻打楚国，打了胜仗，打败了楚国的军队，杀掉了楚国的将领，两次开拓千里的土地，但到最后连寸土都没有得到，并非齐国不想要土地，而是形势所迫！诸侯见齐国军队疲惫不堪，君臣又不团结，就起兵来攻打它，齐王受辱而出走，军队瓦解，遭天下人耻笑。究其原因，就是攻打楚而使韩、魏的势力壮大起来。这就是人们常说的借给强盗兵器而送给小偷粮食啊。以我之见，大王不如与远方的国家结盟，攻占周边的国家，这样得到寸土就一定是大王的，得到尺地也一定是大王的。如今舍近而攻远，不是犯了大错吗？

【原文】

"且昔者，中山之地方五百里，赵独擅之，功成、名立、利附，则天下莫能害。今韩、魏中国之处而天下之枢也。王若欲霸，必亲中国而以为天下枢，以威楚、赵。赵强则楚附，楚强则赵附。楚、赵附则齐必惧，惧必卑辞重币以事秦，齐附而韩、魏可虚①也。"

【注释】

①虚：通"墟"，废墟。

【译文】

“从前，中山国拥有方圆五百里的土地，赵国独自把它吞并，成就了功业，树立了名声，获得了财富，天下没有哪个国家能损害它。如今，韩、魏位于中原，是天下的枢纽。大王如果想要成就霸业，就一定要先控制中原地区，即控制天下的枢纽，从而威胁楚国和赵国。如果赵国强大，楚国就会依附秦国；如果楚国强盛，赵国就会依附秦国。楚、赵都来依附秦国，齐国必定会恐慌，肯定会对秦国态度谦恭，并且加重财礼来侍奉秦国。只要齐国依附秦国，秦国就可以把韩、魏变成废墟。”

【原文】

王曰：“寡人欲亲魏，魏多变之国也，寡人不能亲。请问亲魏奈何？”范雎曰：“卑辞重币以事之，不可；削地而赂之，不可；举兵而伐之。”于是举兵而攻邢丘①，邢丘拔而魏请附。

【注释】

①邢丘：在今河南温县东南。

【译文】

秦王说：“我想亲近魏国，但魏国是个变化多端的国家，我没法亲近它。请问怎么做才能亲近魏国呢？”范雎说：“用谦恭的言辞，并且加重财礼，这样不行；割让土地去贿赂它，也不行；最上策是率军攻打它。”于是秦国就派兵攻打邢丘，邢丘被攻陷后，魏国果然主动请求依附秦国。

【原文】

曰：“秦、韩之地形相错如绣。秦之有韩，若木之有蠹，人之病心腹。天下有变，为秦害者莫大于韩。王不如收韩。”王曰：“寡人欲收韩，不听，为之奈何？”范雎曰：“举兵而攻荥阳①，则成睾之路不通；北斩太行之道②，则上党之兵不下；一举而攻荥阳，则其国断而为三。韩见必亡，焉得不听？韩听而霸事可成也。”王曰：“善！”

【注释】

①荥（xíng）阳：今河南荥阳。②太行之道：羊肠道，位于今山西晋城以南的太行山上。

【译文】

范雎说："秦、韩两国的地形相互交错，就像锦绣的花纹一样。秦国有韩国在旁边，就像树木有蛀虫，人的内脏有疾病一样。一旦天下的形势发生变化，对秦国危害最大的就是韩国。大王不如征服韩国。"秦王说："我打算征服韩国，但是韩国不顺从，对此要怎么办呢？"范雎说："起兵攻打荥阳，切断成皋的道路；从北部切断太行的要道，阻挡上党的救兵；一举拿下荥阳，将韩国分成三截。韩国看到自己将要灭亡，怎么会不听从秦国呢？韩国顺从，那么秦国的霸业也就成功了。"秦王说："好！"

范雎曰

【原文】

范雎曰："臣居山东，闻齐之内有田单[①]，不闻其王。闻秦之有太后、穰侯、泾阳、华阳[②]，不闻其有王。夫擅国之谓王，能专利害之谓王，制杀生之威之谓王。今太后擅行不顾，穰侯出使不报，泾阳、华阳击断无讳，四贵备而国不危者，未之有也。为此四者下，乃所谓无王已！然则权焉得不倾，而令焉得从王出乎？

"臣闻：'善为国者，内固其威而外重其权。'穰侯使者操王之重，决裂诸侯，剖符[③]于天下，征敌伐国，莫敢不听。战胜攻取，则利归于陶；国弊，御于诸侯；战败，则怨结于百姓，而祸归社稷。《诗》[④]曰：'木实繁者披其枝，披其枝者伤其心；大其都者危其国，尊其臣者卑其主。'淖齿[⑤]管齐之权，缩闵王之筋，县[⑥]之庙梁，宿昔[⑦]而死。李兑[8]用赵，减食主父，百日而饿死。今秦太后、穰侯用事，高陵[9]、泾阳佐之，卒无秦王，此亦淖齿、李兑之类已。臣今见王独立于庙朝矣，且臣将恐后世之有秦国者，非王之子孙也。”

秦王惧，于是乃废太后，逐穰侯，出高陵，走泾阳于关外。昭王谓范雎曰：“昔者齐公[10]得管仲，时以为仲父[11]；今吾得子，亦以为父。”

【注释】

①田单：齐将，在燕国派兵攻齐时于即墨破燕军，恢复齐国，被齐襄王任命为相国，受封为安平君。②泾阳、华阳：泾阳，秦昭王同母弟公子市（fú），被封为泾阳君。华阳，秦昭王舅芈（mǐ）戎，被封为华阳君，又号“新诚君”。③符：古代传令、调兵、出使所持的凭证，一般一分为二，君臣各执一半。④《诗》：古代引经据典时往往统称引用资料为《诗》。⑤淖齿：楚国将领，曾在燕乐毅率五国伐齐时领兵救齐，因此被齐闵王封为相国，后来又为了与燕国瓜分齐地而杀了齐闵王，最终被齐闵王的侍臣所杀。⑥县（xuán）：通“悬”。⑦宿昔：一夜。昔，通“夕”。⑧李兑：赵国大臣，为帮助越惠文王夺取王位，逼死了赵武灵王。⑨高陵：指秦昭王同母弟高陵君，名悝（kuī）。⑩齐公：这里指齐桓公。⑪仲父：古人称父亲的大弟弟，这里是齐桓公对管仲的尊称。

【译文】

范雎说：“臣在山东的时候，只听说过齐国有田单这个人，不曾听说过有齐王。只听说秦国有太后、穰侯、泾阳君、华阳君，而没听闻秦王的名声。能掌握国政的被称为王，能独断利益得失的被称为王，能操纵生杀大权的被称为王。但如今宣太后摄政而没有顾忌，穰侯派遣使臣而不报告朝廷，泾阳君、华阳君判决事务而没有忌讳，像这种有四位显贵横行而国家没有危险的情况至今还未出现过。大家都屈从于这四人，因此才说没有大王！如果是这样的话，权势怎么不会倾斜（到他们手中），政令又怎么能从大王那里发出呢？

“臣听说，善于治理国家的君主，在本国内能巩固他的威信，在国外又能有效地行使他的权力。穰侯派出的使者使用国君的权力，和其他诸侯国断交，擅自对外用兵，讨伐敌国，没有谁敢不服从他。因此，打了胜仗，夺取了城池，利益都被穰侯占有；国力变得孱弱，受到诸侯的牵制。而一旦战败，又导致百姓对君主不满，令国家承受战败的祸患。《诗》曰：'果实繁多就会压损树枝，压损树枝会伤及树的根本；扩大臣子的封地会危害国家的安全，提高臣子的地位会使君主的威信卑弱。'淖齿操纵着齐国国政，抽掉齐闵王的筋，然后把他吊在太庙的大梁上，致使他在一夜之间死亡。李兑执掌赵国，减少主父赵武灵王的食物，一百天后主父就饿死了。如今，秦国由太后、穰侯掌权，高陵君和泾阳君辅助他们，他们眼中并没有秦王，这和淖齿、李兑的行为是类似的。我现在看到大王在朝廷上孤立无援，担心日后掌控秦国的将不再是您的子孙。"

秦王听了这番话，十分恐惧，就废掉了太后，放逐了穰侯，让高陵君回到自己的封邑，把泾阳君赶出了函谷关。在这之后，秦王对范雎说："当年齐桓公得遇管仲，称呼管仲为仲父；如今我得到先生，也把你当作我的仲父。"

天下之士合从相聚于赵

【原文】

天下之士合从相聚于赵，而欲攻秦。秦相应侯曰："王勿忧也，请令废之。秦于天下之士非有怨也，相聚而攻秦者，又已欲富贵耳。王见大王之狗，卧者卧，起者起，行者行，止者止，毋相与斗者；投之一骨，轻起相牙者，何则？有争意也。"于是使唐雎[1]载音乐，予之五千金，居武安[2]，高会相与饮，谓邯郸人："谁来取者？"于是其谋者固未可得予也，其可得与者，与之昆弟矣。

"公与秦计功者，不问金之所之，金尽者功多矣。今令人复载五千金随公。”唐雎行，行至武安，散不能三千金，天下之士大相与斗矣。

【注释】

①唐雎：魏国人，当时在秦国。②武安：今河北武安。

【译文】

东方各国的策士都聚集在赵国讨论合纵盟约，打算攻打秦国。秦国的相国应侯范雎对秦王说：“大王不必忧心，请让我现在就去瓦解他们的联盟。秦国与天下的策士并没有什么仇恨，这些策士之所以图谋攻打秦国，不过是因为他们贪图富贵罢了。请大王看看您的狗，现在它们睡着的都好好地睡着，站着的都好好地站着，走着的都好好地走着，停着的都好好地停着，没有相互争斗的。可是如果在它们之间丢下一块骨头，所有的狗都会立刻跑过来，互相争斗，这是什么道理呢？因为它们都起了争夺骨头的意念。”于是范雎就派唐雎用车载着乐队，并且给他五千金，让他在赵国的武安大宴宾客，并问邯郸人：“谁愿意来取这些金子呢？”这么一来，虽然那些筹划合纵的人没有拿到赠金，但是那些得到了黄金的人都把秦国当成了亲兄弟。

应侯又对唐雎说：“你为秦国的外交立了功，别在意赏金都发给了谁，只要把赏金都分完就算功德圆满了。现在我再派人给你拿五千金。”于是唐雎再度来到武安，结果还没分完三千金，参加合纵之约的天下谋士就互相争夺起来了。

应侯失韩之汝南

【原文】

应侯失韩之汝南[①]。秦昭王谓应侯曰：“君亡国，其忧乎？”应侯曰：“臣不忧。”王曰：“何也？”曰：“梁人有东门吴[②]者，其子死而不忧，其相室[③]曰：‘公之爱子也，天下无有，今子死不忧，何也？’东门吴曰：‘吾尝无子，无子之时不忧；今子死，乃即与无子时同也。臣奚忧焉？’臣亦尝无子，无子时不忧；今亡汝南，乃与乡梁余子④同也。臣何为忧？”

秦王以为不然，以告蒙傲⑤曰：“今也，寡人一城围，食不甘味，卧不便席。今应侯亡地而言不忧，此其情也？”蒙傲曰：“臣请得其情。”蒙傲乃往见应侯，曰：“傲欲死。”应侯曰：“何谓也？”曰：“秦王师君，天下莫不闻，而况于秦国乎！今傲势得秦为王将，将兵，臣以韩之细也，逆显诛，夺君地，傲尚奚生？不若死。”应侯拜蒙傲曰：“愿委之卿。”蒙傲以报于昭王。自是之后，应侯每言韩事者，秦王弗听也，以其为汝南也。

【注释】

①汝南：汝水之南，这里指应侯的封邑应乡，它本来是韩国的城邑，后来被秦国占领，此时又被韩国夺回去了。②东门吴：姓东门名吴之人。③相室：主持家政之人。④乡梁余子：乡，同“向”，先前。梁余子，即上文所说的梁国人东门吴。余子是古人对卿大夫的庶子的称呼。⑤蒙傲：秦将，屡立战功。

【译文】

应侯范雎失去了原属韩国的封邑汝南。秦昭王对应侯说：“贤卿丧失了自己的封地，是否会难过？”应侯回答说：“我不难过。”昭王说：“为什么呢？”应侯说：“梁国有一个叫东门吴的人，他的儿子死了，可是他不难过，他的管家就问他：‘主人您疼爱儿子的程度是天下人都比不上的，如今您的儿子死了，您却不难过，为什么呢？’东门吴回答说：‘我当初本来没有儿子，没有儿子时我并不难过；现在我的儿子死了，只是变得和以前没有儿子时一样了，有什么可难过的呢？’我当初也只不过是一个小民，那个时候并不难过，如今失去封地汝南，就和先前失去儿子的东门吴一样，我又有什么好难过的呢？”

秦昭王不赞同范雎这种想法，就把事情告诉了蒙傲，说：“如果现在我的一座城池被围，我会吃饭不香，也睡不好觉。可是如今范雎丢了自己的封地，反而说自己毫不难过，这是他的真情实感吗？”蒙傲说：“让我去了解一下真实情况。”于是蒙傲就去拜会范雎，说：“我想去死！”范雎问：“将军你怎么能说这种话呢？”蒙傲回答说：“君王拜阁下为师，全天下没有不知道这件事的，何况是秦国。现在我蒙傲侥幸成为秦国将军，带兵打仗，竟然只能眼睁睁地看着弱小的韩国违抗秦国，夺走阁下的封土，我还有什么脸活着？不如死了算了！”应侯向蒙傲下拜说：“我愿意把夺回汝南之事托付给您。”蒙傲就把范雎的话告诉了昭王。从此以后，每当应侯谈到韩国的事，秦昭王都不想再听，总觉得他一心只想夺回汝南的封地。

秦攻邯郸

【原文】

秦攻邯郸，十七月不下。庄[①]谓王稽曰：“君何不赐军吏乎？”王稽曰：“吾与王也，不用人言。”

庄曰：“不然。父之于子也，令有必行者，必不行者。曰‘去贵妻，卖爱妾’，此令必行者也；因曰‘毋敢思也’，此令必不行者也。守闾妪曰：‘其夕，某孺子内[②]某士。’贵妻已去，爱妾已卖，而心不有，欲教之者，人心固有。今君虽幸于王，不过父子之亲；军吏虽贱，不卑于守闾妪。且君擅主轻下之日久矣。闻：‘三人成虎，十夫揉椎。众口所移，毋翼而飞。’故曰，不如赐军吏而礼之。”王稽不听。军吏穷，果恶王稽、杜挚[③]以反。

秦王大怒，而欲兼诛范雎。范雎曰：“臣，东鄙之贱人也，开罪于魏，遁逃来奔。臣无诸侯之援，亲习之故，王举臣于羁旅之中，使职事，天下皆闻臣之身与王之举也。今遇惑，或与罪人同心，而王明诛之，是王过举显于天下，而为诸侯所议也。臣愿请药赐死，而恩以相葬臣，王必不失臣之罪，而无过举之名。”

王曰：“有之。”遂弗杀而善遇之。

【注释】

①庄：人名，其姓不详。②孺子内：孺子，对太子的末等侍妾的称呼，这里指代少妇。内，同“纳”。③杜挚：王稽的副手。

【译文】

秦兵攻打邯郸，攻了十七个月也没攻下，庄对王稽说：“您为什么不赏赐您手下的军官呢？”王稽说：“我和大王彼此信赖，他人的诬告起不了作用。”

庄说：“不是这样的。对儿子来说，父亲的命令有的是一定能做得到的，也有的是一定做不到的。比如，让儿子‘休掉娇妻，卖掉爱妾’，这就是一道儿子必然能做到的命令，而父亲接着叫儿子‘不要想念她们’，这则是一道必然做不到的命令。再比如说，有个看守大门的老太太说：‘那天晚上，那位年轻媳妇接纳了某个男子。’就前一件事情而言，娇贵的妻子已经离开，心爱的小妾也已经卖给别人了，父亲就不应该不让儿子有思念之情，因为思念故人是人之常情。就后一件事情来说，男女之情也是每个人都有的。现在您虽然被大王宠信，但是你们的关系不超过父子关系；而下级军官虽然身份微贱，但总不会低于看门的老太太。况且您仰仗君王的宠信而轻视属下已经很久了。常言道：‘三个人说有虎，大家就会相信有虎；十个人说有人可以折弯木棒，其他人就会相信这是事实；众口一词所编造的谎言，就算没有翅膀也可以传得到处都是。’所以说，不如对军官进行赏赐，以礼相待！”可是王稽不肯采纳这项建议。军官们陷入艰难的境地，果然有人诬告王稽和杜挚谋反。

秦昭王大怒，杀掉王稽和杜挚，并打算把范睢一并处死。范睢说：“我不过是东方边境上的一介草民，由于得罪了魏国，才逃到秦国来。我并没有任何诸侯的支持，也没有亲近的朋友，可是大王能在我流浪时提拔我，让我在朝中任职，天下的人都知道臣的身份与大王重用我的事。如今我遭遇谗言，被人诬陷为和罪人王稽一样有谋反之心的人，但大王若是明令诛杀我，就等于将大王当初提拔我的错误显露在天下人面前，必然会招致诸侯们的议论。我希望大王允许我服药而死，但是降恩用宰相之礼安葬我。这样，大王既能处臣以死罪，也不会落得一个用人不当的名声。”

秦昭王说：“有道理！”于是没有杀范雎，并仍然厚待他。

蔡泽见逐于赵

【原文】

蔡泽[①]见逐于赵，而入韩、魏，遇夺釜鬲于涂[②]。闻应侯任郑安平、王稽皆负重罪[③]，应侯内惭。乃西入秦，将见昭王。使人宣言以感怒应侯曰：“燕客蔡泽，天下骏雄弘辩之士也。彼一见秦王，秦王必相之而夺君位。”

应侯闻之，使人召蔡泽。蔡泽入，则揖应侯。应侯固不快，及见之，又倨。应侯因让之曰：“子常宣言欲代我相秦，岂有此乎？”对曰：“然。”应侯曰：“请闻其说。”蔡泽曰：“吁！君何见之晚也。夫四时之序，成功者去。夫人生手足坚强，耳目聪明圣知，岂非士之所愿与？”应侯曰：“然。”

【注释】

①蔡泽：燕人，多智善辩，曾游说诸侯，不被任用。②釜鬲于涂：釜，古代的蒸锅。鬲（lì），古代汉族做饭用的器具，外形像鼎。涂，同“途”。③应侯任郑安平、王稽皆负重罪：郑安平是魏国人，他曾帮助范雎逃往秦国，范雎担任秦国相国之后举荐他为将军，但是他后来因战败而投降了越国。其后，王稽被范雎举荐为河东郡郡守，因和诸侯私下往来被依法处死。

【译文】

蔡泽被驱逐出赵国，逃往韩、魏，在路上遭遇劫匪，炊具都被抢走了。蔡泽听说郑安平、王稽全都犯下了重罪，应侯为此惭愧不已，就西行入秦，打算拜见秦昭王。为了激怒应侯，他派人放出话来："燕客蔡泽是天下善于雄辩的贤士。只要他一见到秦王，秦王就会任命他为相国，让他替代应侯。"

应侯听说之后，就派人召见蔡泽。蔡泽看到应侯，只对应侯拱了拱手。应侯本来就很不高兴，见到蔡泽后又觉得他很傲慢，于是责问他说："你曾对外宣称，你将取代我在秦国做相国，有这回事吗？"蔡泽回答说："有。"范雎说："请让我听听你的想法。"蔡泽说："唉，你为什么如此迟钝呢！就像春夏秋冬四季更替一样，前面的已经成功了就应该离去，以让位给后来者。人活在世界上，手脚健康强壮，耳朵灵敏，眼睛明亮，内心如圣人一样智慧，这不是每个人所希望的吗？"范雎说："是的。"

【原文】

蔡泽曰："质仁秉义，行道施德于天下，天下怀乐敬爱，愿以为君王，岂不辩智之期与？"应侯曰："然。"蔡泽复曰："富贵显荣，成理万物，万物各得其所；生命寿长，终其年而不夭伤；天下继其统，守其业，传之无穷，名实纯粹，泽流千世，称之而毋绝，与天地终始。岂非道之符，而圣人所谓吉祥善事与？"应侯曰："然。"泽曰："若秦之商君，楚之吴起①，越之大夫种②，其卒亦可愿欤？"

应侯知蔡泽之欲困己以说，复曰："何为不可？夫公孙鞅事孝公，极身毋二虑，尽公不顾私，信赏罚以致治，竭智能，示情素，蒙怨咎，欺旧交，虏魏公子卬③，卒为秦禽将破敌，攘地千里。吴起事悼王，使私不害公，谗不蔽忠，言不取苟合，行不取苟容，行义不顾毁誉，然为伯主强国，不辞祸凶。大夫种事越王，主离④困辱，悉忠而不解，主虽亡绝，尽能而不离，多功而不矜，贵富不骄怠。若此三子者，义之至、忠之节也！故君子杀身以成名，义之所在，身虽死，无憾悔，何为不可哉？”

蔡泽曰：“主圣臣贤，天下之福也；君明臣忠，国之福也；父慈子孝，夫信妇贞，家之福也。故比干⑤忠，不能存殷；子胥知，不能存吴；申生⑥孝而晋国乱。是有忠臣孝子，国家灭乱，何也？无明君贤父以听之。故天下以其君父为戮辱，怜其臣子。夫待死而后可以立忠成名，是微子⑦不足仁，孔子不足圣，管仲不足大也。”于是应侯称善。

【注释】

①吴起：卫国人，曾经辅助楚悼王变法。悼王死后，楚贵戚作乱，射死吴起。②大夫种：春秋时越国大夫文种，曾经辅佐越王勾践灭吴，功成之后被勾践赐死。③虏魏公子卬（áng）：公子卬，魏惠王子，商鞅居魏时与他交情很深。秦孝公二十二年（前340），商鞅奉命领军攻魏，魏王派公子卬率军抵御，商鞅用计俘虏了公子卬，大破魏军。④离：同“罹”，遭遇。⑤比干：商纣王的叔父，曾屡次劝谏纣王要勤政爱民，后来被纣王剖心而死。⑥申生：姓姬名申生，春秋时晋国太子，遭其父的宠妃骊姬的陷害，最终自缢而死。⑦微子：商纣王的庶兄，因见纣王昏乱而弃商归周，被周武王封为宋国国君。

【译文】

蔡泽说：“一个人凭借仁义，向天下施行道义和德政，使天下人都心怀喜悦地敬爱他，愿意拥护他做君王，这不也是善于辩论的智者殷切期望的吗？”应侯说：“是的。”蔡泽又说：“享受富贵荣华，治理万物，让万物各得其所；使每个人都能享尽天年而不夭折，让天下人继承他的传统，守护他的业绩，传给后代，使名和实都实实在在，恩泽流传千世，赞美永远不断，和天地同始同终。这不正是符合自然规律，又是圣人所说的吉祥而又善良之事吗？”应侯说：“是的。”蔡泽说：“像秦国的商鞅、楚国的吴起、越国的文种，他们那悲惨的结局是人们愿意看到的吗？”

应侯知道蔡泽是打算使自己陷入困境才这样说的，于是说：“为什么不可以呢？商鞅辅佐秦孝公，极尽所能而没有顾虑，一心为公，全然不顾私情，赏罚有度，把秦国治理得井井有条，竭尽智慧，展现赤胆忠心，遭受怨恨和责怪，欺骗老朋友公子卬，将其俘虏，最后为秦擒获敌将而大破魏军，夺取了几千里的土地。吴起辅佐楚悼王，绝对不让私情损害国家利益，更不让谗言来蒙蔽忠臣，说话不随便迎合别人，做事也不会讨好别人，主持正义而不顾毁谤和赞誉，一心想要使国家富强，不畏祸凶。大夫文种辅佐越王勾践，在君主遭受困辱时依然竭尽忠心，不曾懈怠；虽然君王被敌人俘虏，但是文种仍然竭尽所能，对君王不离不弃，而且功劳再多也不夸耀，即使富贵也不骄横懈怠。像以上这三位忠臣，可以说是将忠义践行到极致的典范了！所以君子牺牲性命来成全名节，只要是为了大义，即使结束生命也没有后悔和遗憾，为什么不可以呢？"

蔡泽说："君主圣德，臣子贤能，这是天下的福分；君主英明，臣子忠诚，这是国家的福分；父亲慈爱，儿子孝顺，丈夫讲信义，妻子有贞节，这是家庭的福分。然而比干忠诚，却不能保住殷商；伍子胥贤能，却不能保住吴国；申生孝顺，而晋国仍然不能避免内乱。有了忠臣孝子，国家仍然不免灭亡，这是为什么呢？主要是没有英明的君主和贤良的父亲倾听他们的心声的缘故。所以天下为他们的君父昏庸而感到羞耻，但可怜他们的大臣和儿子。假如人们一定要等到死了之后才能尽忠成名，那么恐怕连微子也不够仁义，孔子也不够圣贤，管仲也不够伟大。"应侯认为蔡泽的话很对。

【原文】

蔡泽得少间，因曰："商君、吴起、大夫种，其为人臣，尽忠致功，则可愿矣。闳夭[1]事文王，周公辅成王[2]也，岂不亦忠乎？以君臣论之，商君、吴起、大夫种，其可愿孰与闳夭、周公哉？"应侯曰："商君、吴起、大夫种不若也。"蔡泽曰："然则君之主，慈仁任忠，不欺旧故，孰与秦孝公、楚悼王、越王乎？"应侯曰："未知何如也。"蔡泽曰："主固亲忠臣，不过秦孝、越王、楚悼。君之为主，正乱、披患、折难，广地殖[3]谷，富国、足家、强主，威盖海内，功章万里之外，不过商君、吴起、大夫种。而君之禄位贵盛，私家之富过于三子，而身不退，窃为君危之。语曰：‘日中则移，月满则亏。’物盛则衰，天之常数也；进退、盈缩、变化，圣人之常道也。

“昔者，齐桓公九合诸侯，一匡天下，至葵丘之会[4]，有骄矜之色，畔者九国。吴王夫差无适[5]于天下，轻诸侯，凌齐、晋，遂以杀身亡国。夏育、太史启[6]叱呼骇三军，然而身死于庸夫。此皆乘至盛不及道理也。

“夫商君为孝公平权衡、正度量、调轻重，决裂阡陌，教民耕战，是以兵动而地广，兵休而国富，故秦无敌于天下，立威诸侯。功已成，遂以车裂。楚地持戟百万，白起率数万之师以与楚战，一战举鄢、郢[7]，再战烧夷陵[8]，南并蜀、汉，又越韩、魏攻强赵，北坑马服[9]，诛屠四十余万之众，流血成川，沸声若雷，使秦业帝。自是之后，赵、楚慑服，不敢攻秦者，白起之势也。身所服者，七十余城，功已成矣，赐死于杜邮[10]。吴起为楚悼罢无能，废无用，损不急之官，塞私门之请，壹楚国之俗，南攻杨越[11]，北并陈、蔡，破横散从，使驰说之士无所开其口。功已成矣，卒支解。大夫种为越王垦草[12]创邑，辟地殖谷，率四方士，上下之力，以禽劲吴，成霸功，勾践终棓[13]而杀之。此四子者，成功而不去，祸至于此。此所谓信[14]而不能诎[15]，往而不能反者也。范蠡知之，超然避世，长为陶朱[16]。

“君独不观博者乎？或欲大投[17]，或欲分功，此皆君之所明知也。今君相秦，计不下席，谋不出廊庙，坐制诸侯，利施三川，以实宜阳，决羊肠之险，塞太行之口，又斩范、中行之途[18]，栈道千里，通于蜀、汉，使天下皆畏秦。秦之欲得矣，君之功极矣，此亦秦之分功之时也！如是不退，则商君、白公、吴起、大夫种是也。君何不以此时归相印，让贤者授之，必有伯夷之廉，长为应侯，世世称孤，而有乔、松[19]之寿，孰与以祸终哉！此则君何居焉？”应侯曰：“善。”乃延入坐为上客。

后数日，入朝，言于秦昭王曰：“客新有从山东来者蔡泽，其人辩士。臣之见人甚众，莫有及者，臣不如也。”秦昭王召见，与语，大说之，拜为客卿。应侯因谢病，请归相印。昭王强起应侯，应侯遂称笃，因免相。昭王新说蔡泽计画，遂拜为秦相，东收周室，蔡泽相秦王数月，人或恶之，惧诛，乃谢病归相印，号为刚成君。

居秦十余年，事昭王、孝文王、庄襄王，卒事始皇帝。为秦使于燕，三年而燕使太子丹入质于秦。

【注释】

①闳（hóng）夭：西周初年大臣，颇得周文王信任，后辅佐周武王伐纣灭商。②成王：周武王之子，名诵。③殖：通“植”，种植。④葵丘之会：公元前651年，齐桓公在葵丘召集诸侯会盟，旨在促进各国在经济上的协作，这意味着齐国实力雄厚。葵丘，在今河南民权东北。⑤适：通“敌”。⑥夏育、太史启：夏育，周代卫国的勇士，传说能力举千钧。太史启，古代勇士。⑦郢：在今湖北荆州。⑧夷陵：在今湖北省宜昌市，当时是楚国王族的陵墓所在地。公元前278年，秦将白起击败楚军，放火焚烧了此地的楚先王墓。⑨马服：赵国将领赵括。他善于纸上谈兵，实无指挥才能，在长平之役中被白起包围，突围不成，被射死，四十万赵军全部被活埋。⑩杜邮：在今陕西省咸阳市。⑪杨越：地区名，包括今江苏省南部、浙江省北部。⑫草：荒地。⑬棓：当是“倍”之误，通“背”，背弃。⑭信：通“伸”。⑮诎（qū）：屈。⑯陶朱：范蠡佐越王勾践灭吴，去往陶邑（在今山东定陶区西北），改名“朱公”，经商致富，世称“陶朱公”。⑰大投：孤注一掷。⑱斩范、中行之途：此以晋国臣子范、中行指代晋国，谓截断三晋来往之路。⑲乔、松：王子乔、赤松子。他们都是仙人，能够长生不死。

【译文】

蔡泽稍微停歇了一下，接着说：“商鞅、吴起、大夫文种，他们身为人臣，竭尽忠心，建立功勋，算是人们愿意效法的人了。闳夭侍奉周文王，周公辅佐周成王，难道不也是尽忠吗？然而就君臣而论，商鞅、吴起、大夫文种与闳夭、周公相比，谁更能作为我们的榜样呢？”应侯回答说：“商鞅、吴起、大夫种比不上闳夭、周公啊。”蔡泽说：“既然这样，那么，在慈爱仁德、任用忠臣、不欺凌故交这些方面，您的君主与秦孝公、楚悼王、越王勾践相比怎么样呢？”范雎说：“不知道怎么样。”蔡泽说：“您的君主固然亲信忠臣，但比不上秦孝公、越王勾践、楚悼王。您的君主，在拨乱反正、消除祸患、排除困难、扩充疆土、发展农耕、富强国家、丰足百姓、强化君主权力等方面，声威胜过四海诸侯，功绩远播万里，但比不过商鞅、吴起、大夫文种。另外，您的地位显贵，家中的财富已经超过他们三人，然而您还是不隐退，我私下里为您担忧啊。常言道：‘太阳升到正午时就慢慢西移，月亮圆了就开始亏缺。’万物都是盛极而衰，这是自然规律。前进、后退，圆满、亏缺以及随着时间而变化，都是圣人所遵循的常理啊。

“从前齐桓公九次组织诸侯会盟，匡正天下的混乱秩序，但等到葵丘会盟时显出了骄纵之色，九个国家就背叛了他。吴王夫差自以为天下无敌，因此轻视诸侯，欺凌齐、晋两国，终于国破身亡。夏育、太史启等人，一声高呼能使三军惊骇，最终却死于平庸人之手。这都是仗着自己的威名全盛而不及时收手的缘故。

“商鞅为秦孝公统一度量衡、颁布标准的度量衡器，调整赋税的轻重，重新划分土地，教百姓耕种、作战，因此大军一出，疆土便得到拓展，军队休战，国家富足，无敌于天下，在诸侯之间树立了威信。可是变法成功后，商鞅便被处以车裂之刑。楚国拥有百万雄兵，白起率领几万秦军与楚国作战，一战便攻陷楚都鄢和郢，再战就焚烧夷陵，向南吞并了蜀、汉，又越过韩、魏二国攻打强大的赵国，在北方坑杀了马服君赵括，屠戮四十多万兵卒，血流成河，呼声响彻云霄，使秦国成就了帝业。从此以后，赵、楚两国慑于秦威而屈服，再也不敢抗拒秦兵，怕的就是白起的威力。白起攻下了七十多座城池，功业已经建立，他却被秦王赐死在杜邮。吴起为楚悼王罢免了无能的朝臣，裁撤了无用的机构，删减了那些不必要的官员，堵塞了来自私门的请求，统一了楚国的风俗，向南攻打杨越，往北攻打陈、蔡，破坏了连横政策，解散了合纵之约，使游说之士没有开口的余地。大功已经告成，可是最后吴起竟被肢解而死。越国大夫文种，为越王勾践开垦荒地，创建城邑，发展农业，率领四方将士和全国百姓击败强劲的吴国，生擒吴王夫差，完成了霸王功业，可是勾践最后还是背弃了他，将他杀害。这四位贤臣，都是因为功成而身不退才为自己招来杀身之祸，这就是所谓的能屈不能伸、能进不能退的人了。只有范蠡深知其中的道理，于是以超然的姿态功成身退，隐姓埋名，成为富有的陶朱公。

“您难道没有见过赌博的人吗？有的人想下大赌注以求全胜，有的人想要分享胜利的功劳，这些您都是清楚的。如今您当了秦国相国，用计不离开席位，施谋不出朝廷，坐在朝中就可以控制诸侯，使利益施达三川，得以充实宜阳的兵力，把守羊肠小道，封闭太行要塞，断绝三晋的道路，还修筑了千里的栈道以通往蜀、汉，使天下都畏惧秦国。秦王的目的达到了，您的功勋也达到了顶点，这也正是到了秦国分功的时刻！此刻如果您不知及时隐退，那么商鞅、吴起、大夫文种就是您的前车之鉴。您为何不在此时归还相印，让贤能的人来接任，这样既可以像伯夷一样博得廉洁之名，又可以永久地担任应侯，世代相传，更能像仙人王子乔、赤松子一般长寿。这与日后受到祸患相比，哪一个更值得您选择呢？”应侯认同地说：“先生说得太对了。”于是请蔡泽落座，用上宾的礼仪对待他。

过了几天，应侯入朝拜见昭王，对他说：“有一位刚从山东来的客人蔡泽，是一位辩士。臣阅人无数，没有能超过他的，臣也自愧不如。”于是昭王召见蔡泽，与他交谈，十分赞赏他，授予他客卿的职位。范雎这时便称病辞官，请求归还相印。昭王强行让他出来做事，应侯推说自己病重，于是被免去了相国的职位。昭王对蔡泽的计谋十分欣赏，任命他为相国，不久，蔡泽助秦昭王向东吞并了东周国。蔡泽出任相国没几个月，便有人厌恶他，他害怕招致杀身之祸，于是称病辞官，被封为刚成君。

蔡泽在秦国住了十多年，历事昭王、孝文王、庄襄王，最后任职于秦始皇时期，曾为秦国出使燕国，三年之后令燕国太子丹到秦国来做人质。

秦昭王谓左右曰

【原文】

秦昭王谓左右曰：“今日韩、魏孰与始强？”对曰：“弗如也。”王曰：“今之如耳、魏齐①，孰与孟尝、芒卯②之贤？”对曰：“弗如也。”王曰：“以孟尝、芒卯之贤，帅强韩、魏之兵以伐秦，犹无奈寡人何也！今以无能之如耳、魏齐，帅弱韩、魏以攻秦，其无奈寡人何，亦明矣！”左右皆曰：“甚然。”

中期③推琴对曰：“王之料天下过矣。昔者六晋④之时，智氏最强，灭破范、中行⑤，帅韩、魏以围赵襄子于晋阳，决晋水以灌晋阳，城不沉者三板⑥耳。智伯出行水，韩康子御，魏桓子骖乘⑦。智伯曰：‘始，吾不知水之可亡人之国也，乃今知之。汾水利以灌安邑⑧，绛水利以灌平阳⑨。’魏桓子肘韩康子，康子履魏桓子，蹑其踵，肘足接于车上而智氏分矣。身死国亡，为天下笑。今秦之强，不能过智伯；韩、魏虽弱，尚贤在晋阳之下也。此乃方其用肘足时也，愿王之勿易也！”

【注释】

①如耳、魏齐：如耳，原为魏大夫，这时为韩臣。魏齐，魏相。②孟尝、芒卯：孟尝，孟尝君田文。芒卯，魏将，曾以诈术得到魏昭王重用，后来为了私利私通秦国，被秦军打败，从此杳无音信。③中期：秦国辩士，兼通音律，初事秦武王，后事秦昭王。④六晋：指春秋末期执掌晋国的智氏、范式、中行氏、韩氏、赵氏、魏氏六卿。⑤灭破范、中行：公元前458年，智伯瑶灭范、中行二卿。⑥三板：筑墙的夹板，高二尺称为一板，三板即六尺。⑦“韩康子”句：

韩康子，名虎，晋国韩氏的领袖。魏桓子，名驹，晋国魏氏的领袖。古代乘车，主人居左，御者坐在中间，骖乘坐在右边。⑧安邑：魏桓子的城邑，在今山西夏县西北。⑨平阳：韩康子的城邑，在今山西临汾。

【译文】

秦昭王问身边的臣子："如今韩、魏两国的强盛能比得上从前吗？"臣子们答道："比不上啊。"昭王又问："现在的如耳、魏齐的贤能比得上孟尝君、芒卯吗？"臣子们说："比不上啊。"于是昭王说："以孟尝君和芒卯的才能，率领强大的韩、魏联军前来攻打秦国，还不能把我怎么样。现在以无能的如耳、魏齐率领疲弱的韩、魏之兵，能把我怎么样也就很清楚了！"臣子们都附和说："确实是这样啊！"

中期推开面前的琴，说："大王对天下的局势估计错了。从前晋国六卿当政的时候，智氏最强，智氏灭了范氏、中行氏，又率领韩、魏两家的兵力把赵襄子围困在晋阳，掘开晋水大堤，将晋水灌入晋阳城，城头离水面就剩六尺。智伯出去巡视水势时，韩康子为他驾车，魏桓子陪侍旁边。智伯说：'以前我不知道水可以毁灭别人的国家，如今我才知道。用汾水淹没安邑很方便，而用绛水淹没平阳也很省事。'于是，魏桓子用胳膊肘碰了一下韩康子，韩康子则踩了一下魏桓子，又踢他的脚跟。他们就在手脚碰撞之间决定了颠覆智伯的策略。后来智伯身死国亡，被天下人耻笑。如今秦国的强盛还没有超过智伯，韩、魏虽然衰弱，仍然胜过赵襄子被围困在晋阳时。现在正是韩、魏碰手撞足的时候，希望大王不要大意。"

秦王欲见顿弱

【原文】

秦王①欲见顿弱②，顿弱曰："臣之义不参拜，王能使臣无拜即可矣。不即不见也。”秦王许之。于是顿子曰：“天下有有其实而无其名者，有无其实而有其名者，有无其名又无其实者。王知之乎？”王曰：“弗知。”顿子曰：“有其实而无其名者，商人是也。无把铫[3]推耨[4]之势，而有积粟之实，此有其实而无其名者也。无其实而有其名者，农夫是也。解冻而耕，暴背而耨，无积粟之实，此无其实而有其名者也。无其名又无其实者，王乃是也。已立为万乘，无孝之名；以千里养，无孝之实。”秦王悖然而怒。

顿弱曰：“山东战国有六，威不掩于山东而掩于母[5]，臣窃为大王不取也。”秦王曰：“山东之建国可兼与？”顿子曰：“韩，天下之咽喉；魏，天下之胸腹。王资臣万金而游，听之韩、魏，入其社稷之臣于秦，即韩、魏从。韩、魏从，而天下可图也。”秦王曰：“寡人之国贫，恐不能给也。”顿子曰：“天下未尝无事也，非从即横也，横成则秦帝，从成即楚王。秦帝，即以天下恭养；楚王，即王虽有万金，弗得私也。”秦王曰：“善。”乃资万金，使东游韩、魏，入其将相。北游于燕、赵，而杀李牧[6]。齐王入朝，四国必[7]从，顿子之说也。

【注释】

①秦王：嬴政。②顿弱：秦国辩士。③铫（yáo）：古代的一种大锄头。④耨（nòu）：古代除草用的农具。⑤威不掩于山东而掩于母：秦始皇九年（前238），秦始皇诛杀了与其母赵姬私通的嫪毐三族，以及嫪毐与赵姬所生的两个儿子，将赵姬迁往城外的贡阳宫，与赵姬断绝了母子关系，因此威信受损，文中所说的秦王不孝事指的就是这件事。⑥李牧：赵国军事家，与白起、王翦、廉颇并称“战国四大名将”。⑦必：同“毕”。

【译文】

秦王想召见顿弱，顿弱让人转告秦王，说：“我的礼义就是不行参拜之礼。如果大王能特许我不行参拜之礼，我就面见大王，否则，就不必见面了。”秦王同意了。于是顿弱说：“天下有有实无名之人、有名无实之人，还有无名无实之人，大王可曾知道？”秦王说：“寡人不知道。”顿弱说：“有实无名的人是商人，他们不用耕作却积粟满仓。有名无实的人是农夫，他们冒着春寒开始耕种，顶着烈日锄地，却户无积粟。而无名无实的人就是大王您，您已经成为万乘大国之主，却无孝顺的名声；用千里的封地去奉养太后，却无孝亲之实。”秦王听了不由得勃然大怒。

顿弱接着说：“崤山以东有六个国家，你的威势不能压倒崤山以东，却压倒了自己的母亲，我私下里认为大王这样做不妥。”秦王问：“崤山以东的六国可以吞并吗？”顿弱说：“韩国是天下的咽喉，魏国处于天下的胸腹部位。大王若肯资助我万金去游说，听凭我东往韩、魏两国，让那里治理国家的能臣到秦国来，进而使韩、魏臣服，那么您就可以图谋天下了。”秦王说：“寡人的国家贫困，恐怕拿不出万金之财啊。”顿弱说：“如今天下不曾安定过，诸侯不是缔结合纵之约，就是采取连横之策。连横成功，则秦国称帝；合纵成功，则楚国称王。秦王一旦成为帝王，就可以拥有天下，何况万金之财！如果楚国成就了霸业，大王拥有万金也不能私自享用啊。”秦王说：“好！”于是资助顿弱万金，让他东行游说韩、魏，笼络两国的将相。顿弱又向北游说燕、赵二国，施计除掉了赵将李牧。后来齐王入秦朝见秦王，燕、赵、魏、韩四国都服从于秦国，这都是顿弱游说的结果啊。

说秦王曰

【原文】

说秦王曰：“物至而反，冬夏是也。致至而危，累棋是也。今大国之地半天下，有二垂①，此从生民以来，万乘之地未尝有也。先帝文王、庄王②，王之身，三世而不接地于齐，以绝从亲之要。今王使盛桥③守事于韩，盛桥以地入秦。是王不用甲，不伸威，而得百里之地，王可谓能矣。王又举甲兵而攻魏，杜大梁之门，举河内[④]，拔燕、酸枣、虚、桃人[⑤]，魏之兵云翔不敢校，王之功亦多矣。王休甲息众三年，然后复之，又取蒲、衍、首垣[⑥]，以临仁、平兵[⑦]，小黄、济阳婴城[⑧]，而魏氏服矣。王又割濮、磨之北，断齐、韩之要，绝楚、魏之脊。天下五合、六聚而不敢救也，王之威亦惮矣。王若能持功守威，省攻伐之心而肥仁义之地，使无复后患，三王不足四，五伯不足六也。

【注释】

①二垂：西北两边陲。垂，边疆。②文王、庄王：文王，指秦孝文王，秦始皇的祖父。庄王，指秦庄襄王，名楚，秦始皇的父亲。③盛桥：秦庄襄王之子，始皇之弟。后文“成桥”即盛桥。④河内：今河南沁阳一带。⑤燕、酸枣、虚、桃人：燕，即南燕，在今河南延津县东北。酸枣，地名，在今河南延津县北。虚，殷墟，在今河南安阳市小屯村，在洹水之南。桃人，今河南长垣西。⑥蒲、衍、首垣：蒲，又名蒲阪，在今河南长垣县内。衍，即衍城，在今河南郑州市北。首垣，今河南长垣县东北。⑦平兵：又作“平丘”，在今河南封丘县。⑧小黄、济阳婴城：小黄，今河南开封东北。济阳，今河南兰考县东北。婴城，环城围攻。婴，萦绕。

【译文】

“臣曾听人说：‘物极必反，正如冬与夏相更替；事物到达顶点就会陷于危险，好比将棋子堆叠起来。’如今天下一半的土地都为秦国所有，再加上西北两个边陲之地，自从有人活动以来，这样的万乘大国是从未出现过的。从先帝孝文王、庄襄王到大王，连续三代，都未能将疆界推进到齐国，从而彻底阻断诸侯合纵抗秦的盟约。如今大王派盛桥驻守韩国，盛桥又将燕国之地并入秦国。这样大王既不用战争，也不用施加威势，就拓地百里，大王可真是能力超群啊。大王又发兵攻打魏国，封锁魏都大梁的通道，占领了河内，攻陷了南燕、酸枣、虚、桃人等地，魏国军队像云一样四散奔逃而不敢与秦军正面交锋，大王的功绩也够多了。后来大王又以三年的时间休整军队，其后再次出兵，攻取了蒲、衍、首垣，兵临仁、平丘，把小黄、济阳两地层层围住，最后迫使魏国俯首臣服。大王又将濮、磨以北的土地割取，这样就等于斩断了齐、韩的腰身，折断了楚、魏的脊梁。天下诸侯经过多次联合与联盟，最终仍不敢相互救助，大王的威势真是吓人。目前大王若能保持功绩来守住威严，省去攻战的思虑而增强仁义之心与诚意，不仅可免除后患，而且不愁三王不变成四王，五霸不改称为六霸。

【原文】

“王若负人徒之众，仗兵甲之强，壹毁魏氏之威，而欲以力臣天下之主，臣恐有后患。《诗》云：‘靡不有初，鲜克有终①。’《易》曰：‘狐濡其尾②。’此言始之易，终之难也。何以知其然也？智氏见伐赵之利，而不知榆次之祸③也；吴见伐齐之便，而不知干隧之败④也。此二国者，非无大功也，没利于前，而易患于后也。吴之信越也，从而伐齐，既胜齐人于艾陵⑤，还为越王禽于三江之浦⑥。智氏信韩、魏，从而伐赵，攻晋阳之城，胜有日矣，韩、魏反之，杀智伯瑶于凿台之上。今王妒楚之不毁也，而忘毁楚之强韩、魏也。臣为大王虑而不取。《诗》云：‘大武远宅不涉⑦。’从此观之，楚国，援也；邻国，敌也。《诗》：‘他人有心，予忖度之。跃跃毚兔⑧，遇犬获之。’今王中道而信韩、魏之善王也，此正吴信越也。臣闻，敌不可易，时不可失。臣恐韩、魏之卑辞虑患，而实欺大国也。此何也？王既无重世之德于韩、魏，而有累世之怨矣。韩、魏父子兄弟接踵而死于秦者，累世矣。本国残，社稷坏，宗庙隳⑨，刳腹折颐⑩，首身分离，暴骨草泽，头颅僵仆，相望于境；父子老弱系虏，相随于路；鬼神狐伤无所食，百姓不聊生，族类离散，流亡为臣妾，满海内矣。韩、魏之不亡，秦社稷之忧也。今王之攻楚，不亦失乎？且王攻楚之日，则恶出兵？王将藉路于仇雠之韩、魏乎？兵出之日而王忧其不反也，是王以兵资于仇雠之韩、魏。王若不藉路于仇雠之韩、魏，必攻随阳、右壤。随阳、右壤，此皆广川大水，山林溪谷不食之地，王虽有之，不为得地。是王有毁楚之名，无得地之实也。

【注释】

①靡不有初，鲜克有终：没有人不能善始，却很少有人能够善终。②狐濡（rú）其尾：狐狸过河时，开始总是翘起尾巴，不让沾湿，后来累得坚持不下去，便把尾巴弄湿了。用以比喻做事开头容易，坚持到底则困难。③榆次之祸：指智伯瑶攻赵襄子于晋阳，最终败于榆次而被杀。榆次，今山西榆次县。④干隧之败：指越王勾践袭击吴国，吴王夫差惨败，自刎于干隧。干隧，今江苏吴中区西北。⑤艾陵：今山东莱芜东北。⑥三江之浦：娄江、松江、东江的水滨。⑦大武远宅不涉：大脚步要走到远处的住所也是不容易的。武，足迹。⑧跃跃毚（chán）兔：跃跃，往来跳动。毚兔，狡兔。⑨隳（huī）：毁灭，破坏。⑩刳（kū）腹折颐（yí）：剖开肚子，损坏面颊。刳，剖裂。颐，面颊。

【译文】

“如果大王倚仗众多的人口、强盛的军事力量而彻底毁灭魏国的威势，打算用武力使天下诸侯臣服，臣担心秦国从此以后忧患无穷。《诗经》有言：‘靡不有初，鲜克有终’，《易经》中也说：‘狐濡其尾’，这些都是说开始容易，终结却很难的道理。我是凭什么断定事理是这样的呢？智伯能看到攻打赵国的好处，却不能想到葬身于榆次的祸患，吴王发现攻打齐国有利可图，可惜料不到在干隧的惨败。这两个国家，并非没有过大的功业，只是贪图眼前利益，惹来了后面的祸患。吴王相信越国，于是攻打齐国，虽然在艾陵打败了齐军，但在归途的三江之滨被越王擒杀；智伯轻信韩、魏，于是和他们一起征伐赵国，围攻晋阳，谁知胜利指日可待，韩、魏两军却阵前倒戈，将智伯杀死在凿台。如今大王对楚国没有覆灭耿耿于怀，却忘了楚国的覆灭相当于增强韩国与魏国的实力。所以我替大王担忧，认为这种做法是不可取的。《诗经》中说：‘即使步子迈得大，要到远方也是不容易的。’由此观之，远方的楚国应当是秦国的后援，邻近的国家反而是需要警惕的敌国。《诗经》中又说：‘别人有害我之心，我应时刻提防，再狡猾的兔子，碰到猎犬也会被捕获。’如今大王竟在半路上相信韩、魏两国交善于您的话语，这和吴王轻信越国有什么区别呢？臣听说，对敌人不可掉以轻心，好时机不容错失。臣认为韩、魏两国是担心祸患才对大王您言辞卑微，实际上是以此来欺骗秦国啊。这是为什么呢？因为大王对韩、魏两国非但没有几世的恩德，反而有累积数代的仇怨。韩、魏两国人民的父子兄弟一代又一代地死于秦人手中。国家衰残，社稷崩毁，宗庙坍塌，百姓身首分离，白骨累累，尸横遍野，国境内外一派萧瑟景象，而父子老弱都被捆绑掳掠，相随于道。那些孤魂野鬼、狐狸妖怪都无处觅食，百姓更是无法谋生，家族流离失散，四处逃亡沦落为他人的奴仆和姬妾，遍布海内。因此我以为如果韩、魏不灭亡，那就是秦国的大患啊，如今大王却攻打楚国，难道不失策吗？况且大王出兵伐楚之日，打算向何处取道呢？大王要向仇敌韩、魏借道吗？恐怕出兵之日，大王就要开始担忧能否再回秦国了，这无疑是将大批兵马资助给了仇敌韩、魏。大王如果不向两国借道，那只能攻打随阳和右壤，这两个地方遍布高山大河、森林溪谷，是不毛之地，大王即便占有了，也不算真正得到了土地，大王您得到了毁灭楚国的坏名声，却又没有获得土地的实惠。

【原文】

“且王攻楚之日，四国必悉起应①王。秦、楚之兵构而不离，魏氏将出兵而攻留、方与、铚、湖陵、砀、萧、相②，故宋③必尽。齐人南面，泗北④必举。此皆平原四达，膏腴之地也，而王使之独攻。王破楚以肥韩、魏于中国而劲齐，韩、魏之强足以校⑤于秦矣。齐南以泗为境，东负海，北倚河，而无后患，天下之国莫强于齐。齐、魏得地葆⑥利而详事下吏⑦，一年之后，为帝若未能，于以禁王之为帝有余。夫以王壤土之博、人徒之众、兵革之强，一举事而注地于楚，诎令韩、魏，归帝重于齐，是王失计也。

“臣为王虑，莫若善楚。秦、楚合而为一以临韩，韩必授首。王襟以山东之险，带以河曲之利，韩必为关中之侯⑧。若是，王以甲成郑，梁氏寒心，许、鄢陵⑨、婴城，上蔡、召陵⑩不往来也。如此，而魏亦关内侯矣。王一善楚，而关内二万乘之主注地⑪于齐，齐之右壤可拱手而取也。是王之地一经两海，要绝天下也。是燕、赵无齐、楚，齐、楚无燕、赵也。然后危动燕、赵，持齐、楚，此四国者，不待痛而服矣。”

【注释】

①应：应付，这里引申为乘隙攻击。②留、方与、铚、湖陵、砀、萧、相：留，今江苏沛县东南。方与，今山东鱼台县北。铚（zhì），今安徽濉溪县西南。湖陵，今山东鱼台县东南。砀（dàng），今河南永城市东北。萧，今江苏萧县西北。相，今安徽怀北市西北。③故宋：以上七地均为宋国故地。宋国灭亡，其地归楚，所以叫故宋。④泗北：泗水以北。⑤校：通“较”，匹敌。⑥葆：通“保”。⑦详事下吏：指齐、魏佯装侍奉秦国。详，通“佯”，假装。⑧关中之侯：关内侯，秦爵位名。⑨许、鄢陵：许，今河南许昌市东。鄢陵，今河南鄢陵县西北。⑩上蔡、召陵：上蔡，今河南上蔡县西南。召陵，今河南漯河市郾城东。⑪注地：土地相连。

【译文】

“再说大王攻打楚国之日，韩、赵、魏、齐四国一定都会乘隙攻击。秦楚两国交战，无法分兵抵御，魏国也将出兵攻打留、方与、铚、胡陵、砀、萧、相这些地方，楚国原来占领的宋地也为魏国所有。齐国往南进攻，泗水以北势必会被他们占领。这些地方都是四通八达的平原，土地非常肥沃，可大王偏偏让别人攻占这些地方。大王出兵击溃楚国，不料却养肥了地处中原的韩、魏两国，又增强了齐国的实力。韩、魏两国如果强大起来，就足以和秦国相抗衡了。而齐国的南面边境是泗水，东临大海，北靠黄河，这样它就没有后患了，天下诸侯也就没有哪个能强大过齐国了。齐、魏两国获得土地又保有了利益，而假装侍奉秦国，一年之后即使无法统一天下，也有足够的力量阻止大王您称帝。凭着大王辽阔的土地、众多的百姓、强盛的军力，一出兵就与楚国结下仇怨，反倒让韩、魏支持齐王称帝，这是大王的失策啊。

“臣为大王考虑，不如和楚国友好亲善。秦、楚两国如果联合起来，兵临韩国疆界，韩国一定俯首臣服。大王凭借崤山的险要地势，依靠河曲的优越条件，韩国必然成了您在关中的耳目。如果这一步成功了，大王再派遣十万大军屯驻在郑地，魏国必定胆战心寒，许和鄢陵环城固守，上蔡、召陵都不敢和魏国往来。这样，魏国也是您关内的耳目了。大王若与楚国修好，关内拥有两万辆战车的君主也就将臣服于您了，秦的边境就将与齐国接壤了，齐国右边的土地大王就唾手可得。这时，大王的土地纵横于东西二海之间，横绝天下。燕、赵从此与齐、楚相互断绝了往来。然后你再加以胁迫，这四国不等出兵攻打，便会乖乖降服了。”

或为六国说秦王曰

【原文】

或为六国说秦王曰：“土广不足以为安，人众不足以为强。若土广者安，人众者强，则桀、纣之后将存。昔者，赵氏亦尝强矣。曰赵强何若？举左案齐，举右案魏，厌案[①]万乘之国二，由[②]千乘之宋也。筑刚平[③]，卫无东野，刍牧薪采[④]莫敢窥东门。当是时，卫危于累卵，天下之士相从谋曰：‘吾将还其委质，而朝于邯郸之君乎？’于是天下有称伐邯郸者，莫[⑤]令朝行。魏伐邯郸[⑥]，因退为逢泽之遇[⑦]，乘夏[⑧]车，称夏王，朝为天子[⑨]，天下皆从。齐太公[⑩]闻之，举兵伐魏，壤地两分，国家大危。梁王身抱质[⑪]执璧，请为陈侯[⑫]臣，天下乃释梁。郢威王闻之，寝不寐，食不饱，帅[⑬]天下百姓[14]以与申缚遇于泗水之上，而大败申缚。赵人闻之至枝桑，燕人闻之至格道。格道不通，平际绝。齐战则不胜，谋则不得，使陈毛释剑掫[15]，委南听罪，西说赵，北说燕，内喻其百姓，而天下乃释齐。于是夫积薄而为厚，聚少而为多，以同言郢威王于侧牖之间[16]。臣岂以郢威王为政衰谋乱以至于此哉？郢为强，临天下诸侯，故天下谋伐之也！”

【注释】

①厌案：压制。厌，通“压”。②由：通“犹”，犹如。③刚平：在今河南清丰西南。④刍牧薪采：放牧者与采樵人。⑤莫：通“暮”。傍晚，晚上。⑥魏伐邯郸：公元前354年，魏惠王发兵包围赵都邯郸。⑦逢泽之遇：魏惠王主持在魏都大梁附近举行的会盟。遇，会。⑧夏：中原地区。⑨为天子：为，于。天子，周敬王。⑩齐太公：当为齐威王。⑪质：通“贽（zhì）”，礼品。⑫陈侯：齐威王在称王前称陈侯。⑬帅：通“率”。⑭百姓：各路诸侯。⑮掫（zōu）：巡夜打更的工具。⑯侧牖（yǒu）之间：牖意为窗户，在旁边的窗户之间（商量事情），意指密谋算计楚威王。

【译文】

有人为了六国的利益游说秦王，说：“国土辽阔不代表可以永保安定，人口众多不足以证明国力强大。如果说国土辽阔就可以永享太平，人口众多就可以长盛不衰，那么夏桀、商纣的后代便能世袭繁荣、安定至今了。过去赵国盛极一时，当时是怎样的情形呢？赵国向东可以震慑齐国，向西可以压制魏国，而压制住这两个万乘大国，犹如支配着千乘的宋国。赵人筑起刚平城，使得卫都东门几乎没有郊野，卫人连放牧砍柴都不敢迈出东门。这个时候，卫国的处境犹如堆起来的鸡蛋一样岌岌可危，天下游说之士相与谋划说：‘难道我们甘心向赵国进贡，向赵国国君俯首称臣吗？’有人提议攻打赵国，于是诸侯便群起而响应，晚上才发出命令，第二天清晨就付诸行动。魏惠王出兵攻破邯郸，在逢泽主持诸侯会盟，可是他乘坐夏车，自称中原之王，率领诸侯朝见周天子，诸侯不敢不从。齐威王听说此事后，出兵讨伐魏国。魏国国土被分成两半，濒临灭亡。魏惠王亲自带上重礼向齐威王请罪，表示愿意向齐威王俯首称臣，诸侯们这才放过魏国。后来楚威王听说齐威王开始称霸，寝食难安，便率领各路诸侯与齐将申缚大战于泗水之上，齐军大败。赵人听说后，乘势占领了枝桑；燕人听说后，攻占了格道。格道交通断绝，隔断了齐国与外界的交往。齐国接连战败，计谋又不能成功，只好命令陈毛放下兵器，南下向楚威王请罪，向西游说赵国，向北游说燕国，在国内安抚百姓，天下这才放过齐国。积薄渐厚，积少成多，楚威王渐渐得势，天下诸侯又用同样的办法暗算楚威王。这难道是因为楚威王政治腐败、谋略失误吗？这是因为楚国过于强大，威胁到了天下诸侯，所以天下诸侯才图谋攻打它啊！”

谓秦王曰

【原文】

谓秦王[①]曰：“臣窃惑王之轻齐、易楚，而卑畜韩也。臣闻，王兵胜而不骄，伯主约而不忿。胜而不骄，故能服世；约而不忿，故能从邻。今王广德魏、赵而轻失齐，骄也；战胜宜阳，不恤楚交，忿也。骄、忿非伯王之业也。臣窃为大王虑之而不取也。

“《诗》云：‘靡不有初，鲜克有终。’故先王之所重者，唯始与终。何以知其然？昔智伯瑶[②]残范、中行，围逼晋阳[③]，卒为三家[④]笑；吴王夫差[⑤]栖越[⑥]于会稽[⑦]，胜齐于艾陵，为黄池[⑧]之遇，无礼于宋[⑨]，遂与勾践禽，死于干隧；梁君[⑩]伐楚胜齐，制赵、韩之兵，驱十二诸侯[⑪]以朝天子于孟津[⑫]，后子死，身布冠而拘于齐。三者非无功也，能始而不能终也！

【注释】

①秦王：指秦武王。②智伯瑶：春秋末期人，晋国六卿之一。③晋阳：赵

氏都城，在今山西太原西南。④三家：指韩、赵、魏。⑤吴王夫差：春秋吴国国君。⑥越：指越王勾践。⑦会（kuài）稽：山名，在今浙江境内。⑧黄池：在今河南封丘西南。⑨无礼于宋：吴王杀掉宋国大夫，囚禁宋国妇女。⑩梁君：梁惠王。⑪十二诸侯：又称泗上十二诸侯，分布在泗水流域的一些小国家。⑫孟津：在今河南洛阳孟津区。

【译文】

有人对秦武王说："臣私下对大王轻视齐、楚，而且小看韩国感到十分疑惑。我听过王者打了胜仗也不骄傲，主持联盟而不急躁。战胜了而不骄傲，因此能够使世人悦服；主持联盟而不急躁，因此才能使诸侯顺从。如今大王广施恩德给魏国和赵国而轻视与齐国的交谊，这是骄傲的表现；攻下宜阳，就不顾与楚国的交谊，这就是盛气凌人的做法。骄傲、放纵而不约束，都不是霸者的作为。我私下里为大王您考虑，觉得这样是不可取的。

"《诗经》上说：'一开始都做得很好，但很少有能保持到最后的。'因此先王特别看重有始有终。凭什么知道是这样的呢？以前智伯瑶灭掉范氏、中行氏，又围攻晋阳，结果被韩、赵、魏三家耻笑；吴王夫差迫使越王勾践退守在会稽山上，又在艾陵战胜了齐国，主持了黄池会盟，接待宋国时十分无礼，最后被勾践制伏，死在干隧；魏惠王攻打楚国，战胜了齐国，控制赵国、韩国的军队，带领泗上十二诸侯在孟津朝见周天子，但之后太子战死，他只好戴上布冠而向齐国屈服。当初这三个人并不是没有显赫战功，但都是开始做得好但没有坚持到最后。

【原文】

"今王破宜阳，残三川，而使天下之士不敢言；雍天下之国，徙两周之疆，而世主不敢交；塞阳侯[1]，取黄棘[2]，而韩、楚之兵不敢进。王若能为此尾[3]，则三王不足四，五伯不足六；王若不能为此尾，而有后患，则臣恐诸侯之君，河、济之士，以王为吴、智之事也。

"诗云：'行百里者，半于九十。'此言末路之难。今大王皆有骄色，以臣之心观之，天下之事，依世主之心，非楚受兵，必秦也。何以知其然也？秦人援魏以拒楚，楚人援韩以拒秦。四国之兵敌而未能复战也。齐、宋在绳墨之外以为权[4]，故曰先得齐、宋者伐秦。秦先得齐、宋，则韩氏铄[5]；韩氏铄，则楚孤而受兵也。楚先得之，则魏氏铄；魏氏铄，则秦孤而受兵矣。若随此计而行之，则两国者必为天下笑矣。”

【注释】

①阳侯：要塞名。在今山东沂水南。②黄棘：在今河南新野东北，秦昭王与楚怀王曾在此结盟。③尾：犹言善终，结果。④权：援助。⑤铄（shuò）：削弱。

【译文】

“如今大王攻破宜阳，占领三川，并且使天下贤士都不敢开口议论；改变了东周和西周的疆界，使各路诸侯不敢相互结交；把守阳侯隘口，夺取了黄棘，使韩国、楚国的军队不敢西进。大王如果能贯彻到底，您就能成就三王五霸一样的功业。假如不能的话，就会有灭亡的危险。我担心各国的君主和黄河、济水一带的有识之士会让大王步夫差、智伯之后尘。

“古语说：‘走一百里路，到九十里还只能算是一半。’这是说坚持到最后的艰难。如今大王经常流露出骄傲的情绪，依我的愚见，天下的大事，根据诸侯的想法，不是联合攻击楚国，就是并力攻击秦国。我依据什么知道是这样的呢？秦国援助魏国来抗击楚国，楚国援助韩国来抗击秦国。四国的兵力相当，难以轻易开战。而宋、齐两国置身事外，它们就显得举足轻重。所以说谁先取得齐、宋两国的支持就可以攻打秦国。秦国如果争得齐、宋两国的支援，韩国就会被削弱；韩国被削弱，那么楚国就会孤立无援而受到攻击。假如楚国先得到齐、宋两国的支援，魏国就会受到削弱，魏国被削弱，那么秦国就会陷入孤立而受到攻击。如果按这个计策去做的话，秦、楚两国一定会成为天下的笑柄。”

秦王与中期争论

【原文】

秦王[①]与中期[②]争论，不胜，秦王大怒，中期徐行而去。或为中期说秦王曰："悍人也。中期适遇明君故也，向者遇桀、纣，必杀之矣。"秦王因不罪。

【注释】

①秦王：秦昭王。②中期：秦国人，能言善辩之士。

【译文】

秦王和大臣中期发生争论，秦王未能取胜，勃然大怒，中期从容地离开。有人替中期向昭王解释，说："中期可真是个倔强的人，幸好他碰到了您这位贤明的君主，如果是夏桀、商纣那样的暴君，一定会杀了他。"秦王听了这番话就没有怪罪中期。

濮阳人吕不韦贾于邯郸

【原文】

濮阳[①]人吕不韦贾于邯郸，见秦质子异人[②]，归而谓父曰："耕田之利几倍？"曰："十倍。""珠玉之赢几倍？"曰："百倍。""立国家之主赢几倍？"曰："无数。"曰："今力田疾作，不得暖衣余食；今建国立君，泽可以遗世。愿往事之。"

秦子异人质于赵，处于扇城[③]。故往说之曰："子傒[④]有承国之业，又有母在中。今子无母于中，外托于不可知之国，一日倍约，身为粪土。今子听吾计事，求归，可以有秦国。吾为子使秦，必来请子。"

乃说秦王后⑤弟阳泉君曰："君之罪至死，君知之乎？君之门下无不居高尊位，太子门下无贵者。君之府藏珍珠宝玉，君之骏马盈外厩，美女充后庭。王⑥之春秋高，一日山陵崩，太子用事，君危于累卵而不寿于朝生⑦。说有可以一切而使君富贵千万岁，其宁于太山四维⑧，必无危亡之患矣。"阳泉君避席，请闻其说。不韦曰："王年高矣，王后无子，子傒有承国之业，士仓⑨又辅之。王一日山陵崩，子傒立，士仓用事，王后之门必生蓬蒿。子异人贤材也，弃在于赵，无母于内，引领西望，而愿一得归。王后诚请而立之，是子异人无国而有国，王后无子而有子也。"阳泉君曰："然。"入说王后，王后乃请赵而归之。

赵未之遣，不韦说赵曰："子异人，秦之宠子也，无母于中，王后欲取而子之。使秦而欲屠赵，不顾一子以留计⑩，是抱空质也。若使子异人归而得立，赵厚送遣之，是不敢倍德畔施，是自为德讲。秦王老矣，一日晏驾⑪，虽有子异人，不足以结秦。"赵乃遣之。

【注释】

①濮阳：卫国都城，在今河南安阳市。②异人：秦孝文王之子，早年曾在赵国做人质，后即位为秦庄襄王。③㢠（liáo）城：在今山东聊城西北。④子傒（xī）：异人的异母弟。⑤秦王后：指秦孝文王之妻华阳夫人。⑥王：指孝文王。⑦朝生：指寿命很短。⑧其宁于太山四维：比泰山的四角还要坚实安稳。太山，泰山。四维，四角。⑨士仓：昭王时的秦相杜仓。⑩留计：延缓攻赵的计划。⑪晏驾：对君王死亡的避讳说法。

【译文】

濮阳人吕不韦在邯郸做生意，见到被秦国送到赵国做人质的公子异人，便回家问父亲："耕田种地可以获利几倍？"父亲回答说："十倍吧。"吕不韦又问："贩卖珠宝玉器可以获利几倍？"父亲答道："一百倍吧。"他又问："那拥立一位君主可获利几倍呢？"他父亲说："这可无法计量。"吕不韦说："如今老百姓努力耕田劳作，仍然不能衣食无忧；而如果拥君立国，则可以将福泽留传给后世。我愿意去做这笔买卖。”

秦公子异人当时正在赵国当人质，住在邷城。于是吕不韦前往拜谒异人，说：“子傒有继承王位的基础，他的母亲又在宫中支持他。如今公子您既没有母亲在宫内照应，又托身于一个难测的敌国，万一哪天秦、赵背弃信约，公子您将难以保全性命。公子现在如果听从我的安排，先要求回国，就有掌握秦国大权的机会了。我先替公子到秦国活动，将来一定接您回国。”

于是，吕不韦前去游说秦孝文王王后华阳夫人的弟弟阳泉君，说：“您的罪已经至死，您知道吗？您门下的宾客位高势尊，而太子门下却无一显贵。而且您府中藏有珍珠宝玉，马厩里还有无数的骏马，后院又住满了佳丽。大王如今年事已高，一旦驾崩，太子执政，那么您的处境将比摞在一起的鸡蛋还要危险，生死在旦夕之间。我这里倒有条权宜之计可保您富贵万年，比泰山还安稳，绝对没有危亡的忧患。”阳泉君赶忙向吕不韦施礼，恭敬地请求吕不韦指教。吕不韦献策说：“大王年事已高，华阳夫人又没有子嗣，子傒有资格继承王位，又有杜仓辅助他。一旦大王驾崩，子傒即位，杜仓掌权，到时王后的庭院里必定会长满蒿草，萧条冷落。公子异人是一位贤能的人才啊，可惜被送到赵国做人质，没有母亲在宫中庇护，每每翘首西望家邦，希望有朝一日能够回到秦国。王后倘若能请大王立异人为太子，那么公子异人就会从无国而变得有国，王后也就从无子而变得有子了。”阳泉君说：“对！”便进宫说服王后，王后于是要求赵国将公子异人送回秦国。

赵国当然不肯放行，吕不韦就去游说赵王：“公子异人是秦王宠爱的儿子，他虽然没有母亲，但现在王后华阳夫人想让他做儿子。假如秦国真的要攻打赵国，必然不会因为一个王子而延误灭赵大计，如此看来，赵国岂不是空有人质了吗？但如果让异人回国当太子，并以厚礼好生相送，公子是不会忘记大王的恩德的，这是从恩德方面让异人甘当人质。秦王已经老迈，一旦驾崩，赵国虽然仍有异人作为人质，但已经不能够再和秦国交好了。”于是，赵王就将异人送回了秦国。

【原文】

异人至，不韦使楚服而见。王后悦其状，高其知，曰：“吾楚人也。”而自子之，乃变其名曰楚。王使子诵，子曰：“少弃捐在外，尝无师傅所教学，不习于诵。”王罢之，乃留止。间曰：“陛下尝轫车①于赵矣，赵之豪杰，得知名者不少。今大王反国，皆西面而望。大王无一介之使以存之，臣恐其皆有怨心。使边境早闭晚开。”王以为然，奇其计。王后劝立之。王乃召相，令之曰：“寡人子莫若楚。”立以为太子。

子楚立，以不韦为相，号曰文信侯，食蓝田②十二县。王后为华阳太后，诸侯皆致秦邑。

【注释】

①轫（rèn）车：停车，这里指在赵国当人质一事。轫，阻止车轮滚动的木头。②蓝田：今陕西蓝田。

【译文】

公子异人回到秦国后，吕不韦让他身着楚服去拜见王后。王后见到他的装扮十分高兴，认为他很有头脑，并说：“我本是楚国人。”于是把公子异人认作自己的儿子，并给他改名为“楚”。秦王令公子楚诵读诗书。公子楚说：“孩儿自小被抛弃在外，没有师傅教导传习，不会诵读诗书。”秦王也就作罢了，让他留宿宫中。公子楚乘秦王空闲时，进言道：“陛下也曾在赵国停留过，赵国的豪杰知道大王之名的不在少数。如今大王返秦为君，他们都惦念着您，可是大王却未曾遣派一个使臣去抚慰他们，儿臣担心他们会心生怨恨，希望大王将边境关卡早闭晚开。”秦王觉得他说得很有道理，为他有这样的计谋而感到惊奇。王后乘机劝秦王立公子楚为太子。秦王于是找来丞相，下诏说：“寡人的儿子没有比楚更能干的。”于是立公子楚为太子。

公子楚做了秦王以后，任吕不韦为相国，封他为文信侯，将蓝田十二县作为他的食邑。而王后称华阳太后，诸侯们闻讯都给秦国送来了封邑。

文信侯欲攻赵以广河间

【原文】

文信侯[1]欲攻赵以广河间[2]，使刚成君蔡泽事燕三年，而燕太子质于秦。文信侯因请张唐[3]相燕，欲与燕共伐赵，以广河间之地。张唐辞曰："之燕者必径于赵，赵人得唐者，受百里之地。"文信侯去而不快。少庶子甘罗[4]曰："君侯何不快甚也？"文信侯曰："吾令刚成君蔡泽事燕三年，而燕太子已入质矣。今吾自请张卿相燕而不肯行。"甘罗曰："臣请行之。"文信侯叱去曰："我自行之而不肯，汝安能行之也？"甘罗曰："夫项橐[5]生七岁而为孔子师，今臣生十二岁于兹矣，君其试臣，奚以遽言叱也？"

【注释】

①文信侯：秦相吕不韦。②河间：指漳、河之间，为吕不韦的封地。③张唐：秦国将军。④甘罗：吕不韦的家臣，楚国下蔡人。⑤项橐：传说中的神童。

【译文】

文信侯吕不韦打算攻打赵国，以扩张他在河间的封地，他派刚成君蔡泽侍奉燕国三年，而燕太子丹就到秦国做人质。吕不韦就请秦国人张唐到燕国做相国，想和燕国一起去讨伐赵国来扩大河间封地。张唐推辞说："到燕国一定要经过赵国，赵人抓到我，能得到百里之地的封赏。"文信侯很不悦地离开了。少庶子甘罗问："您为什么这么不开心呢？"文信侯说："我让刚成君蔡泽侍奉燕国已经三年了，而燕太子丹也已经做了秦国的人质。现在我亲自请张唐去担任燕相，他竟不肯去！”甘罗说：“请允许我去一试。”文信侯呵斥他道：“我亲自去请他，他都不肯去，你哪里能让他答应呢？”甘罗说：“项橐七岁时就做了孔子的老师，现在我都已经十二岁了，您就让我前去试试，为何如此轻易地就呵斥我呢？”

【原文】

甘罗见张唐曰：“卿之功孰与武安君①？”唐曰：“武安君战胜攻取，不知其数；攻城堕邑，不知其数。臣之功不如武安君也。”甘罗曰：“卿明知功之不如武安君欤？”曰：“知之。”“应侯之用秦也，孰与文信侯专？”曰：“应侯不如文信侯专。”曰：“卿明知为不如文信侯专欤？”曰：“知之。”甘罗曰：“应侯欲伐赵，武安君难之，去咸阳②七里，绞而杀之。今文信侯自请卿相燕，而卿不肯行，臣不知卿所死之处矣。”唐曰：“请因孺子而行！”令库具车，厩具马，府具币，行有日矣。甘罗谓文信侯曰：“借臣车五乘，请为张唐先报赵。”

【注释】

①武安君：此指秦国名将白起。②咸阳：秦都，在今陕西咸阳东北。

【译文】

甘罗拜见张唐，说：“您的功劳和武安君相比如何？”张唐说：“武安君打了许多胜仗，攻城略地不计其数，我的功绩不如武安君。”甘罗问：“您真的明白自己的功绩比不上武安君吗？”张唐说：“明白。”甘罗又问：“应侯执政于秦国，和文信侯相比，谁的权势更大？”张唐说：“应侯比不上文信侯。”甘罗问：“您真的知道应侯比不上文信侯的权势大吗？”张唐说：“知道。”甘罗说：“应侯想攻打赵国，但是武安君认为这样有困难而阻止了他，结果是他反而被逐出咸阳七里，被施以绞刑处死。如今文信侯亲自请您去燕国担任相国，而您却不肯去，我不知道您会死在哪里了！”张唐说：“请您转告文信侯，我愿意前往燕国。”于是张唐叫库所准备好车，厩房准备马，内府准备好钱币，并确定了行期。甘罗对文信侯说：“请借给我五辆马车，让我先行前去通报赵王。”

【原文】

见赵王[1]，赵王郊迎。谓赵王曰：“闻燕太子丹之入秦与？”曰：“闻之。”“闻张唐之相燕与？”曰：“闻之。”“燕太子丹入秦者，燕不欺秦也。张唐相燕者，秦不欺燕也。秦、燕不相欺，则代赵[2]危矣。燕、秦所以不相欺者，无异故，欲攻赵而广河间也。今王赍臣五城以广河间，请归燕太子，与强赵攻弱燕。”赵王立割五城以广河间，归燕太子。赵攻燕，得上谷[3]三十六县，与秦什一。

【注释】

①赵王：赵悼襄王。②代赵：代本古国，后来被赵吞并，因此以代赵指代赵国。③上谷：今河北怀来一带。

【译文】

甘罗面见赵王，赵王到郊外迎接他。甘罗对赵王说：“您听说过燕太子丹进入秦国当人质的事吗？”赵王说：“听说过。”甘罗问：“您听说张唐将到燕国做相国的事情了吗？”赵王说：“听说过。”甘罗说：“燕国派太子丹到秦国，说明燕国不欺骗秦国；张唐在燕国任相国，说明秦国不会欺骗燕国。秦、燕两国互不欺骗，赵国就危险了。秦、燕两国之所以不相互欺骗，没有其他的原因，只是想攻打赵国，扩张河间地盘而已。如今大王若能割给我五座城邑，来扩大河间的土地，我就请秦国遣送太子丹回国，再和强赵一起去攻打弱燕。”赵王立刻割让五座城邑给秦国，来扩大河间的土地，秦国也送燕太子丹回到燕国。赵国发兵攻打燕国，得到上谷郡三十六县，给了秦国十分之一。

文信侯出走

【原文】

文信侯出走，与司空马①之赵，赵以为守相②。秦下甲而攻赵。

司空马说赵王③曰："文信侯相秦，臣事之，为尚书④，习秦事。今大王使臣守小官，习赵事。请为大王设秦、赵之战，而亲观其孰胜。赵孰与秦大？"曰："不如。""民孰与之众？"曰："不如。""金钱粟孰与之富？"曰："弗如。""国孰与之治？"曰："不如。""相孰与之贤？"曰："不如。""将孰与之武？"曰："不如。""律令孰与之明？"曰："不如。"司空马曰："然则大王之国，百举而无及秦者，大王之国亡。"

赵王曰："卿不远赵，而悉教以国事，愿于因计。"司空马曰："大王裂赵之半以赂秦，秦不接刃而得赵之半，秦必悦。内恶赵之守，外恐诸侯之救，秦必受之。秦受地而却兵，赵守半国以自存。秦衔赂以自强，山东必恐亡，赵国危，诸侯必惧，惧而相救，则从事可成。臣请为大王约从。从事成，则是大王名亡赵之半，实得山东以敌秦，秦不足亡。"

赵王曰："前日秦下甲攻赵，赵赂以河间十二县，地削兵弱，卒不免秦患。今又割赵之半以强秦，力不能自存，因以亡矣。愿卿之更计。"司空马曰："臣少为秦刀笔⑤，以官长而守小官，未尝为兵首，请为大王悉赵兵以遇。"赵王不能将。司空马曰："臣效愚计，大王不用，是臣无以事大王，愿自请。"

【注释】

①与司空马：与，犹言同党。司空马，人名，文信侯的下属。②守相：代理相国。③赵王：赵幽缪王。④尚书：官名。秦相国的属臣，主管文书。⑤刀笔：刀笔吏。古代人记事于竹木简牍上，有错处就用刀削去，所以称为刀笔。

【译文】

文信侯吕不韦被驱逐出走，他的同党司空马奔逃到赵国，赵国任命他为代理相国。这时秦国发兵攻打赵国。

司空马对赵王说："文信侯做秦国丞相时，我在他的手下当尚书，对秦国的情况很熟悉。如今大王让我做代理相国，我也要熟悉赵国的情况，请让我为大王假设秦国与赵国的交战，而您就亲自观察谁会取胜。大王觉得赵国与秦国哪一个更强大呢？"赵王说："赵国不如秦国强大。"司空马又问："人口上哪个国家多？"赵王说："赵国不如秦国人多。"又问："钱财粮食上哪个国家更富有？"赵王说："赵国不如秦国富有。""哪个国家治理得更好？"赵王说："赵国比不上秦国。"又问："哪个国家的丞相更贤能？"赵王说："赵国比不上秦国。"又问："哪个国家的将军更高明？"赵王说："赵国比不上秦国。"又问："哪个国家的法令更严明？"赵王说："赵国比不上秦国。"司空马说："这样的话大王的国家，处处都比不上秦国，大王的国家会灭亡。"

赵王恳求说："希望先生不要抛弃赵国，能把治国方略都教授给我，我愿意听从先生的意见。"司空马说："大王割出赵国一半的土地来贿赂秦国，秦国不用发动战争就得到半个赵国，一定十分高兴。秦国担心赵国内有守备，外有诸侯支援，秦国一定会接受割地。秦国得到土地就会退兵，赵国守住一半的国土而得以继续生存。秦国收到土地的贿赂日益强盛，崤山以东的诸侯国一定会害怕灭亡，赵国若有危难，诸侯必然会害怕，一旦害怕就会来援救赵国，那么合纵的计策就会成功。我请求为大王去组织合纵的联盟。合纵的计划成功了，那么大王虽然失去了半个赵国，而实际上得到了崤山以东诸侯的支持来抵抗秦国，秦国就难免会灭亡。"

赵王说："前些时候，秦国出兵攻打赵国，我割让了河间十二县来贿赂秦国，国土减少，兵力削弱，最后还是免不了来自秦国的战祸。现在先生又建议割让半个赵国去增强秦国的实力，赵国实在无力自保，因此要灭亡了。希望先生换一个办法吧。"司空马说："我年轻的时候虽然在秦国只做过尚书，不曾担任军队将领，但我请求率领赵国全部的军队去抗击秦国。"赵王不愿意任命司空马为将领。司空马说："我献上愚计，大王却不采纳，我已经没什么可为大王效力的了，请允许我离开赵国。"

【原文】

司空马去赵，渡平原[1]。平原津令郭遗劳而问："秦兵下赵，上客从赵来，赵事何如？"司空马言其为赵王计而弗用，赵必亡。平原令曰："以上客料之，赵何时亡？"司空马曰："赵将武安君[2]，期年而亡；若杀武安君，不过半年。赵王之臣有韩仓者，以曲合于赵王，其交甚亲，其为人疾贤妒功臣。今国危亡，王必用其言，武安君必死。"

韩仓果恶之，王使人代。武安君至，使韩仓数之曰："将军战胜，王觞将军。将军为寿于前而捍匕首，当死。"武安君曰："缲[3]病钩，身大臂短，不能及地，起居不敬，恐获死罪于前，故使工人为木杖以接手。上若不信，缲请以出示。"出之袖中，以示韩仓，状如振梱[4]，缠之以布。"愿公入明之。"

韩仓曰："受命于王，赐将军死不赦。臣不敢言。"武安君北面再拜赐死，缩剑将自诛，乃曰："人臣不得自杀宫中。"过司马门[5]，趣甚疾，出棘门[6]也。右举剑将自诛，臂短不能及，衔剑征之于柱以自刺。武安君死，五月赵亡。

平原令见诸公，必为言之曰："嗟嗞乎，司空马！"又以为司空马逐于秦，非不知也；去赵，非不肖也。赵去司空马而国亡。国亡者，非无贤人，不能用也。

【注释】

①平原：津渡名。在今山东平原西南。②武安君：赵将李牧的封号。③缲（zuǒ）：李牧名。④梱（yīn）：古书上说的一种树。⑤司马门：宫门名。⑥棘门：在司马门外的宫门。

【译文】

司空马离开赵国后，路过平原津。平原津令郭遗来慰劳并且打听战事，问道："秦国正在出兵攻打赵国，贵客从赵国来，请问赵国的情况怎么样？"司空马述说他为赵王献计，但赵王不采纳，赵国一定会灭亡的。平原令问："根据贵客的推测，赵国什么时候会灭亡呢？"司空马说："赵王如果任命武安君李牧为将领，一年会灭亡；如果杀了武安君，不超过半年就会灭亡。赵王臣子中有一个叫韩仓的，善于阿谀奉承，迎合赵王，他们的交情很亲密。他这个人妒忌贤能、诋毁功臣。现在赵国正处于危急的时候，赵王一定会听韩仓的话，武安君一定会死。"

韩仓果然向赵王诽谤武安君，赵王就派人取代武安君。武安君到，赵王派韩仓责备武安君。韩仓说："将军打了胜仗，大王给你敬酒。可将军给大王敬酒时却暗藏匕首，论罪当诛。"武安君说："我的胳膊有疾病，伸不直，我的身体高大而手臂短小，不能双手够地，在大王面前起居不敬，害怕获得死罪，所以便叫木工做了一个木杖接手，大王若是不信，请允许我拿出来给您过目。"于是从袖中伸出假肢来给韩仓看，那样子就像木杖，用布条缠绕着。武安君说："请您在大王面前说明这些情况。"

韩仓说："我接受大王的命令，大王赐将军死罪，不能够赦免，我不敢为你进言。"武安君便向北面拜了两拜，感谢赐死的恩德。他抽出宝剑准备自杀时，说："臣子不能在宫中自杀。"于是穿过司马门，匆匆走出棘门。他右手举起宝剑要自刎，但因为手臂太短而不能碰到，于是他口衔着宝剑的尖端，撞向柱子自杀了。武安君死后五个月，赵国就灭亡了。

平原令郭遗见到他的朋友时，一定会为司空马叹息，说："哎，司空马啊！"并且认为司空马被秦国弃逐，这并不是他没有智慧；他离开赵国，也不是他不贤能。赵国不任用司空马而亡国。赵国之所以亡国，并不是因为没有贤能的人，而是因为不能任用贤才。

四国为一

【原文】

四国①为一，将以攻秦。秦王召群臣宾客六十人而问焉，曰："四国为一，将以图秦，寡人屈于内，而百姓靡于外②，为之奈何？"群臣莫对。姚贾③对曰："贾愿出使四国，必绝其谋而安其兵。"乃资车百乘，金千斤，衣以其衣冠，带以其剑。姚贾辞行，绝其谋，止其兵，与之为交以报秦。秦王大悦。贾封千户，以为上卿。

韩非短之，曰："贾以珍珠重宝南使荆、吴④，北使燕、代之间三年，四国之交未必合也，而珍珠重宝尽于内，是贾以王之权、国之宝，外自交于诸侯，愿王察之。且梁监门子，尝盗于梁、臣于赵而逐。取世监门子、梁之大盗、赵之逐臣，与同知社稷之计，非所以厉群臣也。"

王召姚贾而问曰："吾闻子以寡人财交于诸侯，有诸？"对曰："有之。"王曰："有何面目复见寡人？"对曰："曾参⑤孝其亲，天下愿以为子；子胥⑥忠于君，天下愿以为臣；贞女工巧，天下愿以为妃⑦。今贾忠王而王不知也。贾不归四国，尚焉之？使贾不忠于君，四国之王尚焉用贾之身？桀听谗而诛其良将，纣闻谗而杀其忠臣，至身死国亡。今王听谗，则无忠臣矣。"

【注释】

①四国：指的是荆、吴、燕、代。②靡于外：耗尽在外边。靡，耗尽。③姚贾：魏人，始皇时仕秦。④吴：在此指越，越灭吴，故此以吴代越。⑤曾参：孔

子的弟子，以孝著称。⑥子胥：楚人，忠于吴，被吴王夫差所杀。⑦妃：配偶。

【译文】

荆、吴、燕、代四国结盟，准备进攻秦国。秦王政召集大臣和宾客六十人，向他们咨询应对之计："四国联合，打算攻打秦国，本国在内财力窘迫，在外百姓耗损，该怎么办呢？"大臣中没有应答的。姚贾回答说："我愿意出使四国，我一定可以破坏他们的计谋，阻止他们发动军队。"秦王就给他准备了百辆战车，千斤黄金，并让姚贾穿上自己的衣服，戴上自己的帽子，佩上自己的宝剑。姚贾辞别秦王，破坏了四国进攻秦国的计谋，阻止了他们发动军队，而且和他们结交，以回报秦王。秦王非常高兴，把千户封给了姚贾，并任命他为上卿。

韩非诽谤姚贾，说："姚贾携带着珍贵的珠宝，南面出使荆、吴，北面出使燕、代等地，时达三年，未必能和四国真正结交，但带去的珍宝已散尽，他实际上是在利用大王的权势、秦国的珍宝，私自在外结交诸侯，希望大王明察。况且他是大梁一个守门人的儿子，曾在魏国做过盗窃的事情，在赵国又曾被驱逐出境，向守门人的儿子、魏国的盗贼、赵国的逐臣咨询国家大事，这恐怕不是勉励群臣的方法！"

秦王召见姚贾，向他询问此事："我听说你用秦国的财物结交诸侯，有这种事吗？"姚贾回答说："有。"秦王说道："那你还有什么脸面再来和我相见？"姚贾回答说："昔日曾参孝顺父母，天下人都希望让他做自己的儿子；伍子胥对他的君主忠诚，天下的君主都希望让他做自己的臣子；女子擅长女工，天下的男人都希望让她做自己的配偶。如今我对大王忠诚却得不到大王的信任，我不去那四国，又能去哪呢？如果我对自己的君主不忠诚，四国的君王又怎么会信任我呢？夏桀听信谗言而杀害他的良将关龙逄，纣王听信谗言而杀了他的忠臣比干，最终落得身死国亡的下场。如今大王听信谗言，只怕不会再有人为您效力了。"

【原文】

王曰："子监门子，梁之大盗，赵之逐臣。"姚贾曰："太公望，齐之逐夫，朝歌之废屠①，子良之逐臣，棘津之不雠庸②，文王用之而王③。管仲④，其鄙之贾人也，南阳之弊幽⑤，鲁之免囚⑥，桓公用之而伯。百里奚，虞之乞人，传卖以五羊之皮，穆公⑦相之而朝西戎。文公⑧用中山盗，而胜于城濮⑨。此四士者，皆有诟丑，大诽天下，明主用之，知其可与立功。使若卞随、务光⑩、申屠狄⑪，人主岂得其用哉？故明主不取其污，不听其非，察其为己用。故可以存社稷者，虽有外诽者不听；虽有高世之名，无咫尺之功者不赏。是以群臣莫敢以虚愿望于上⑫。"秦王曰："然。"乃复使姚贾而诛韩非。

【注释】

①废屠：卖不出肉的屠夫。②不雠庸：无人过问的佣工。雠，通"售"。③王（wàng）：称王，据有天下。④管仲：管夷吾，春秋时齐国名臣，辅佐齐桓公称霸。⑤弊幽：隐身苟活而被埋没的人。⑥鲁之免囚：齐国内乱，管仲奉公子纠奔鲁，后公子小白入齐，纠死，鲁人囚管仲，送他归齐。⑦穆公：秦穆公，春秋五霸之一。⑧文公：晋文公，名重耳。⑨城濮：在今山东鄄（juàn）城西南临濮镇。⑩卞随、务光：都是商汤时的隐士，不愿接受汤的让位。⑪申屠狄：商纣时人，见纣无道，投水自杀。⑫虚愿望于上：用不切实际的想法希求国君。

【译文】

秦王说："你是守门人的儿子、魏国的大盗、赵国的弃臣。"姚贾说："太公望，被东海老妇抛弃，在朝歌杀牛却卖不出牛肉，为子良办事却被赶走，在棘津打工却无人雇用，但文王任用他而成就了王业。管仲，曾经是齐国边远地区的商贩，在南阳隐居苟活，是鲁国赦免的囚犯，但齐桓公凭借他而成为霸主。百里奚，起初是虞国的乞丐，相传被人用五张羊皮转卖到了秦国，但秦穆公任用他竟使得西戎来朝。晋文公任用中山国的盗贼，却赢得了城濮之战。这四位贤士都经历过令人不耻的事情，遭受了天下人的诽谤，但明主重用他们，是因为知道他们能为国家立功。如果像卞随、务光、申屠狄那样的隐士，君主又怎么任用他们呢？所以圣明的君主不看他们的污点，不听信别人指摘他们的过失，主要看他们能否为己所用。只要能安定国家，就不听信外人的诽谤；即使有很大的名声，要是没有哪怕微小的功绩也不赏赐。这样群臣就不会有毫无功绩而想得到封赏的虚妄想法了。”秦王叹服：“您说得对。”于是重新任用姚贾，并诛杀了韩非。

齐　策

靖郭君将城薛

【原文】

靖郭君①将城薛②，客多以谏。靖郭君谓谒者③无为客通。齐人有请者曰："臣请三言而已矣！益一言，臣请烹。"靖郭君因见之。客趋而进曰："海大鱼。"因反走。君曰："客有于此。"客曰："鄙臣不敢以死为戏。"君曰："亡，更言之。"对曰："君不闻海大鱼乎？网不能止，钩不能牵，荡而失水，则蝼蚁得意焉。今夫齐，亦君之水也。君长有齐阴④，奚以薛为？失齐，虽隆薛之城到于天，犹之无益也。"君曰："善。"乃辍城薛。

【注释】

①靖郭君：齐国大臣田婴的封号。②薛：靖郭君的封邑，在今山东滕州市以南。③谒者：负责传达信息的小吏。④阴：同"荫"，庇护。

【译文】

靖郭君田婴将要修筑薛城，很多门客都去谏阻他。田婴吩咐传达人员不要替劝谏的门客通报。齐国有个门客要求拜见田婴，他对传达人员说："我只说三个字就离开，要是多一个字，愿意领受烹杀之刑。"田婴因此接见了他。这位门客快步走到田婴跟前，说："海大鱼。"然后转身就走。田婴问："先生还有话要说吧！"门客说："我可不敢拿生死当儿戏！"田婴说："我不怪罪你，先生请讲！"门客这才回答道："您没听说过海里的大鱼吗？网打不上，钩钓不到，可一旦它因为得意忘形而离开了水域，那么蝼蚁也能随意处置它。(以此相比)现在齐国就像是您的水。如果您永远有齐国庇护，那么您要薛地有什么用呢？而您如果失去了齐国，即使将薛邑的城墙筑得跟天一样高，又有什么用呢？”田婴称赞说：“您说得对。”于是停止了筑城一事。

靖郭君善齐貌辨

【原文】

靖郭君善齐貌辨[1]。齐貌辨之为人也多疵，门人弗说[2]。士尉[3]以证靖郭君，靖郭君不听，士尉辞而去。孟尝君又窃以谏，靖郭君大怒曰：“刬[4]而类，破吾家。苟而慊[5]齐貌辨者，吾无辞为之。”于是舍之上舍，令长子御，旦暮进食。

数年，威王薨，宣王立。靖郭君之交大不善于宣王，辞而之薛，与齐貌辨俱留。无几何，齐貌辨辞而行，请见宣王。靖郭君曰：“王之不说婴甚，公往，必得死焉。”齐貌辨曰：“固不求生也，请必行。”靖郭君不能止。

齐貌辨行至齐，宣王闻之，藏怒以待之。齐貌辨见宣王，王曰：“子，靖郭君之所听爱夫！”齐貌辨曰：“爱则有之，听则无有。王之方为太子之时，辨谓靖郭君曰：‘太子相不仁，过颐豕视[6]，若是者倍反。不若废太子，更立卫姬婴儿郊师[7]。’靖郭君泣而曰：‘不可，吾不忍也。’若听辨而为之，必无今日之患也。此为一。至于薛，昭阳[8]请以数倍之地易薛，辨又曰：‘必听之。’靖郭君曰：‘受薛于先王，虽恶于后王，吾独谓先王何乎？且先王之庙在薛，吾岂可以先王之庙与楚乎！’又不肯听辨。此为二。”宣王太息，动于颜色，曰：“靖郭君之于寡人一至此乎？寡人少，殊不知此。客肯为寡人来靖郭君乎？”齐貌辨对曰：“敬诺。”

靖郭君衣威王之衣冠，带其剑。宣王自迎靖郭君于郊，望之而泣。靖郭君至，因请相之。靖郭君辞，不得已而受。七日，谢病强辞。靖郭君辞不得，三日而听。

当是时，靖郭君可谓能自知人矣。能自知人，故人非之不为沮。此齐貌辨之所以外生、乐患、趣⑨难者也！

【注释】

①齐貌辨：齐人，靖郭君的门客。②说：通“悦”，不满意。③士尉：齐人，也是靖郭君的门客。④刬（chǎn）：同“铲”，削除。⑤慊（qiè）：满意。⑥过颐豕视：颐，脸颊，过颐形容脸颊过长。豕，猪，此处形容眼光无神。⑦郊师：人名。卫姬的儿子，宣王的庶弟。⑧昭阳：人名。楚将，曾任楚大司马。⑨趣：通“趋”。

【译文】

靖郭君对门客齐貌辨恩遇甚厚。可是齐貌辨有很多小缺点，因此门客们都不喜欢他。有个叫士尉的人拿出实证，劝靖郭君赶走齐貌辨，靖郭君不听，士尉就离开了。孟尝君田文也悄悄劝谏靖郭君，靖郭君十分生气，说：“即使牺牲你们这些人，捣毁我这片家业，只要能让齐貌辨高兴，我也不惜去做！”于是他就让齐貌辨住上等的房间，并且派长子为他驾车，早晚还给他送饭。

几年以后，齐威王驾崩，齐宣王即位。田婴跟宣王关系不好，于是请求离开，到自己的封地薛地去住，齐貌辨也跟他一起住在薛城。没过多久，齐貌辨决定辞别田婴，前往齐国，请求谒见宣王，田婴就说：“君王很讨厌我田婴，你去，一定会被处死！”齐貌辨说：“臣本来就不求能活下来，既然请求，我一定要去。”田婴不能阻止，于是齐貌辨就去见宣王。

齐貌辨到了齐国临淄，宣王听说了这件事，收敛怒气等待他的到来。齐貌辨拜见宣王，宣王说：“你是靖郭君所听信和宠爱的人！”齐貌辨回答说：“宠爱是有的，但靖郭君可不是什么都听我的。当大王还是太子的时候，我曾对靖郭君说：‘太子看起来不仁德，脸颊太长，眼睛无神，像这样的人，在施政时一定会违反正道。不如废掉太子，改立卫姬的儿子郊师。’靖郭君听了，哭着对臣说：‘不可以，我不忍心这样做。’如果当初他听我的话，那么他一定没有今天的祸患，这是其一。到了薛城，楚将昭阳请求拿几倍的土地来换薛地。我又劝靖郭君，说：‘一定要接受。’靖郭君说：‘我从先王那里接受了薛地，虽然现在的王不喜欢我，但是我也不能拿薛地和别人交换，否则我怎么向先王交代呢？况且，先王的宗庙在薛地，我怎么能把先王的宗庙交给楚国呢！’他又不肯听我的。这是其二。”齐宣王听了，不禁发出一阵长叹，表情也变了，说：“靖郭君对寡人竟然好到这种程度吗？我年少，不知道这些事情。您愿意为我把靖郭君请回来吗？”齐貌辨回答说：“好！”

靖郭君穿戴着威王赐给他的衣服和帽子，佩戴着他自己的宝剑。齐宣王亲自到郊外迎接他，远远地看见他就哭泣。靖郭君回朝之后，齐宣王请他做丞相。靖郭君再三推辞，不得已才接受。七天以后，他就以有病为由，坚决要求辞去官职。没有得到准许，又过了三天，齐宣王才答应他的请求。

那个时候，靖郭君可以说是有知人之明啊！靖郭君能够了解别人，所以即使别人非议那个人，靖郭君也不会对那个人感到失望。这也就是齐貌辨之所以不顾自身性命、乐于解除他的祸患、面向危难的原因。

成侯邹忌为齐相

【原文】

成侯邹忌为齐相，田忌为将，不相说。公孙闬[1]谓邹忌曰：“公何不为王谋伐魏？胜，则是君之谋也，君可以有功；战不胜，田忌不进，战而不死，曲挠而诛。”邹忌以为然，乃说王而使田忌伐魏。

【注释】

①公孙闬（hàn）：齐人，邹忌的门客。

【译文】

成侯邹忌是齐相，田忌是齐国的大将，二人关系不好。公孙闬对邹忌说："您为何不替大王谋划进攻魏国一事呢？如果打了胜仗，那是您的计谋好，您可以立大功；一旦战败，田忌即使不死在战场，也会在回国之后死在军法之下。"邹忌认为他说得对，于是劝说齐威王，请他命田忌讨伐魏国。

【原文】

田忌三战三胜，邹忌以告公孙闬，公孙闬乃使人操十金而往卜于市，曰："我，田忌之人也，吾三战三胜，声威天下，欲为大事，亦吉否？"卜者出，因令人捕为人卜者，亦验其辞于王前。田忌遂走。

【译文】

田忌三战皆胜，邹忌把这件事告诉了公孙闬。公孙闬就派人拿着十金到集市上去占卜，这个人对算卦的人说："我是田忌将军的部下，如今我们三战三胜，威震天下，想要做大事，请问吉凶如何？"等这个人离开之后，公孙闬派人逮捕了算卦的人，把他带到齐王面前，验证了这番话。田忌因此不得不逃离齐国。

田忌亡齐而之楚

【原文】

田忌亡齐而之楚，邹忌代之相齐，恐田忌欲以楚权复于齐。杜赫曰："臣请为留楚。"谓楚王[①]曰："邹忌所以不善楚者，恐田忌之以楚权复于齐也。王不如封田忌于江南，以示田忌之不返齐也。邹忌以齐厚事楚。田忌亡人也，而得封，必德王。若复于齐，必以齐事楚。此用二忌之道也。"

楚果封之于江南。

【注释】

①楚王：楚宣王，名良夫。

【译文】

田忌从齐国逃跑，到了楚国。邹忌取代他担任齐国的相国，担心田忌会凭借楚国的权力重回齐国。说客杜赫对他说："我请求帮助您，使田忌留在楚国。"于是对楚宣王说："齐相邹忌之所以对楚国不友善，是因为担心田忌借助楚国的势力返回齐国。大王不如将田忌分封到长江以南，以此来表示田忌不会再返回齐国。如此一来，邹忌一定会让齐国很好地对待楚国。田忌是个逃亡的人，要是能得到封地，一定会感激大王，即使他将来回到齐国，也一定会优待楚国。这是利用邹忌、田忌的好方法。"楚王果然将田忌封在长江以南。

邹忌修八尺有余

【原文】

邹忌修八尺①有余，身体昳丽②。朝服衣冠，窥镜，谓其妻曰："我孰与城北徐公美？"其妻曰："君美甚。徐公何能及君也！"城北徐公，齐国之美丽者也。忌不自信，而复问其妾曰："吾孰与徐公美？"妾曰："徐公何能及君也！"旦日，客从外来，与坐谈，问之客曰："吾与徐公孰美？"客曰："徐公不若君之美也！"

【注释】

①尺：指周朝时期的尺，一尺约合二十厘米。②昳（yì）丽：光艳美丽。

【译文】

邹忌身高八尺多，容貌俊美。一天早晨，他穿好衣服，戴好帽子，看着镜子，对他的妻子说："我跟城北的徐公比，哪个更俊美？"

他的妻子说："您俊美极了，徐公怎么能比得上您呢？"城北的徐公，是齐国的美男子，邹忌不相信自己比徐公俊美，又问侍妾："我和徐公相比，哪个更俊美？"妾说："徐公怎么能比得上您呢？"第二天，有位客人来拜访，邹忌跟他坐着闲谈，又提起了这个问题："我和徐公哪个更俊美？"客人说："徐公没有您俊美。"

【原文】

明日，徐公来。孰视之，自以为不如；窥镜而自视，又弗如远甚。暮寝而思之，曰："吾妻之美我者，私我也！妾之美我者，畏我也！客之美我者，欲有求于我也！"

【译文】

第二天，徐公来到了邹忌家里。邹忌仔细地打量着他，认为自己没有他俊美，拿起镜子来仔细端详，更觉得自己远远不如徐公俊美。晚上他躺在床上考虑这件事，领悟到："我的妻子认为我俊美，是因为她偏爱我；侍妾认为我俊美，是因为她畏惧我；客人认为我俊美，是因为他有求于我！"

【原文】

于是入朝见威王曰："臣诚知不如徐公美，臣之妻私臣，臣之妾畏臣，臣之客欲有求于臣，皆以美于徐公。今齐地方千里，百二十城。宫妇左右，莫不私王；朝廷之臣，莫不畏王；四境之内，莫不有求于王。由此观之，王之蔽甚矣！"王曰："善。"乃下令："群臣吏民能面刺寡人之过者，受上赏！上书谏寡人者，受中赏！能谤议于市朝，闻寡人之耳者，受下赏！"

【译文】

于是邹忌到朝堂上拜见齐威王，说："臣知道自己没有徐公俊美，可是我的妻子偏爱我，侍妾畏惧我，客人有求于我，都说我比徐公俊美。现在齐地方圆千里，有一百二十座城邑，宫中妃嫔、左右侍从没有不偏爱大王的，朝廷中的臣子没有不畏惧大王的，齐国境内没有不有求于大王的，由此可见，大王被蒙蔽得太厉害了！”齐威王说：“您说得对。”于是发出诏令：“无论大臣还是百姓，只要能当面指出寡人的过失的，受上赏；能上书劝谏寡人的，受中赏；能在市井中批评朝政，并且被我听到的，受下赏。”

【原文】

令初下，群臣进谏，门庭若市；数月之后，时时而间进；期年之后，虽欲言，无可进者。燕、赵、韩、魏闻之，皆朝于齐。此所谓战胜于朝廷。

【译文】

诏令刚刚颁布时，大臣们都来进谏，宫廷内外像集市一样热闹；几个月以后，不时有人来提意见；一年之后，人们即使想进言，也没什么可说的了。燕、赵、韩、魏四国听说了这件事，都来朝见齐国。这就是所谓的在朝堂上战胜他国！

秦假道韩、魏以攻齐

【原文】

秦假道韩、魏以攻齐，齐威王①使章子②将而应之，与秦交和而舍③。使者数相往来，章子为变其徽章④，以杂秦军。候者言章子以齐入秦，威王不应。顷之间，候者复言章子以齐兵降秦，威王不应。而此者三。有司请曰：“言章子之败者，异人而同辞。王何不发将而击之？”王曰：“此不叛寡人明矣，曷⑤为击之！”

【注释】

①齐威王：据考此处当为齐宣王，以下皆同。②章子：齐国的名将匡章。③交和而舍：军门称为“和”。舍，驻扎军队。指两军相对着屯驻。④徽章：包括旗帜和军装的标志。⑤曷：通“何”。

【译文】

秦国向韩、魏借路去攻打齐国。齐威王命匡章率领军队应战。匡章则一接触秦军就驻扎下来。使者多次互相来往，匡章改变了旗帜和士兵衣服上的标志，然后把他们混杂在秦军中。探兵把此事汇报给了威王，说匡章将齐兵送给了秦国，齐威王没有理会。没过多久，探兵又说匡章带领齐兵投降了秦国，齐威王仍旧不应答。像这样的情况发生了很多次。一个朝臣就请求威王，说："说章子兵败的人虽然不同，可是他们说的话却相同。大王为什么不派将领攻打他？"齐威王回答说："在这种情况下，章子显然是不会背叛寡人的，为什么要去攻打他呢？"

【原文】

顷间，言齐兵大胜，秦军大败，于是秦王拜西藩之臣而谢于齐。左右曰："何以知之？"曰："章子之母启得罪其父，其父杀之而埋马栈之下。吾使章子将也，勉之曰：'夫子之强，全兵而还，必更葬将军之母。'对曰：'臣非不能更葬先妾也。臣之母启得罪臣之父，臣之父未教而死。夫不得父之教而更葬母，是欺死父也。故不敢。'夫为人子而不欺死父，岂为人臣欺生君哉？"

【译文】

没过多久，有消息说齐军大获全胜，秦军大败，因此秦惠王只好自称西藩臣子，并派使者向齐国谢罪。齐威王的近臣说："大王凭什么知道章子绝对不降秦呢？"齐威王说："匡章的母亲启得罪了他的父亲，他的父亲就杀了她，并把她埋在马棚下面。当初寡人让匡章统率军队时，曾经鼓励他，说：'您强壮勇武，当您率领所有军队回来时，我一定会改葬您的母亲。'匡章回答说：'我不是不能改葬先母，而是因为我的母亲得罪了我父亲，而我的父亲没有留下嘱托就死了。如果我擅自改葬母亲，就是欺骗死去的父亲啊。所以我不敢改葬母亲。'他作为儿子，不欺骗死去的父亲，难道他作为臣子时反倒会欺骗活着的君王吗？"

秦伐魏

【原文】

秦伐魏，陈轸[①]合三晋而东，谓齐王[②]曰："古之王者之伐也，欲以正天下而立功名，以为后世也。今齐、楚、燕、赵、韩、梁六国之递甚也，不足以立功名，适足以强秦而自弱也，非山东之上计也。能危山东者，强秦也。不忧强秦而递相罢弱，而两归其国于秦。此臣之所以为山东之患。天下为秦相割，秦曾不出刀；天下为秦相烹，秦曾不出薪。何秦之智而山东之愚耶？愿大王之察也。

【注释】

①陈轸：齐人，纵横家，口才很好，此时在魏。②齐王：齐闵王。

【译文】

秦国攻打魏国，陈轸联合晋国三卿韩、赵、魏，然后东进，对齐王说："古代圣王征伐，是想匡正天下秩序、建立功名，作为后世的榜样。现在齐、楚、燕、赵、韩、魏等六国互相征伐，不但不足以建立功名，反而会壮大秦国，削弱自身，这绝对不是有利于崤山以东的国家的良策。能够威胁到崤山以东诸侯的，是秦国。如今，六国不担忧强大的秦国，却互相削弱，最终必然会两败俱伤，被秦国吞并，这是我认为的崤山以东各国的忧患。天下诸侯替秦互相割戮，秦却没有使用刀剑；天下诸侯互相烹煮，秦却没有出柴火。秦是多么聪明，而山东各国是多么愚蠢啊！但愿大王明察。

【原文】

"古之五帝、三王、五伯之伐也，伐不道者；今秦之伐天下不然，必欲反之，主必死辱，民必死虏。今韩、梁之目未尝干，而齐民独不也，非齐亲而韩、梁疏也，齐远秦而韩、梁近。今齐将近矣！今秦欲攻梁绛[1]、安邑[2]，秦得绛、安邑以东下河，必表里河而东攻齐，举齐属之海，南面而孤楚、韩、梁，北向而孤燕、赵，齐无所出其计矣。愿王熟虑之！

【注释】

①绛：春秋时晋都，在今山西翼城县东南。②安邑：魏国旧都，在今山西夏县西北。

【译文】

“古代的三皇、五帝、五霸兴兵，目的是讨伐无道的国家；但是现在秦国征伐天下不是这样的，而是和古代相反，国君死于屈辱，百姓死于掳掠。现在韩、魏两国百姓的眼泪还没有干，只有齐国百姓还没有惨遭秦军的蹂躏，不是因为齐国和秦国亲近，而韩、魏与秦国疏远，只是因为齐国远离秦国，而韩、魏靠近秦国。如今齐国也离秦国很近了！现在秦国想要攻打魏国的绛和安邑，得到绛和安邑之后再东下黄河，到时一定能以黄河为依靠往东攻打齐国，占领齐国土地，直到到达东海之滨，并且向南孤立韩、魏、楚，向北使燕、赵陷入孤立无援之地。这样一来，齐国就没有计策来应对了，希望大王慎重考虑这件事。

【原文】

“今三晋已合矣，复为兄弟，约而出锐师以戍梁绛、安邑，此万世之计也。齐非急以锐师合三晋，必有后忧。三晋合，秦必不敢攻梁，必南攻楚。楚、秦构难，三晋怒齐不与己也，必东攻齐。此臣之所谓齐必有大忧，不如急以兵合于三晋。”

齐王敬诺，果以兵合于三晋。

【译文】

“现在韩、魏、赵三国已经结盟，重新成为兄弟之邦，相约共同派遣精锐的军队戍守魏国的绛县和安邑，这都是长远的计策。齐国如果不立即派遣精兵，帮助韩、赵、魏三国，一定会有后患。因为，秦国考虑到韩、赵、魏三国已经联合，不敢攻打魏国，必然会向南攻打楚国。而一旦楚、秦交战，韩、赵、魏三国就会愤恨齐国不与自己联合，一定向东攻打齐国。这就是我所说的齐国一定会有大祸患，大王不如立即出兵，和韩、赵、魏三国联合。”

齐宣王欣然同意，果然出兵联合韩、赵、魏三国。

苏秦为赵合从

【原文】

苏秦[1]为赵合从，说齐宣王曰：“齐南有太山，东有琅邪[2]，西有清河[3]，北有渤海，此所谓四塞之国也。齐地方二千里，带甲数十万，粟如丘山。齐车[4]之良，五家之兵[5]，疾如锥矢，战如雷电，解如风雨。即有军役，未尝倍太山、绝清河、涉渤海也。临淄[6]之中七万户，臣窃度之，下户三男子，三七二十一万，不待发于远县，而临淄之卒固以二十一万矣。临淄甚富而实，其民无不吹竽[7]、鼓瑟[8]、击筑[9]、弹琴、斗鸡、走犬、六博[10]、蹹踘[11]者；临淄之途，车毂击，人肩摩，连衽成帷，举袂成幕，挥汗成雨，家敦而富，志高而扬。夫以大王之贤与齐之强，天下不能当。今乃西面事秦，窃为大王羞之！

【注释】

①苏秦：本章为纵横家练习游说之作，此苏秦及下文齐宣王皆为假托。②琅邪：山名。在今山东青岛市。③清河：指济水，是齐、赵边境界的河流。④齐车：《史记》作“三军”。⑤五家之兵：又称“五都之兵”，为齐军主力。⑥临淄：齐国都城，在今山东淄博东北。⑦竽：乐器，笙类。⑧瑟：乐器，似琴。⑨筑：乐器，似瑟而较大。⑩六博：古代一种棋类游戏。⑪蹹踘（jū）：类似足球，以皮做成，以毛充实。

【译文】

苏秦替赵国施行合纵策略，游说齐宣王道：“齐国的南边是泰山，东面是琅邪山，西面是清河，北面是渤海，这就是所谓的四面各有要塞的国家。齐国国土方圆两千里，兵士几十万，军粮堆积如山。三军个个都是勇士，又有五国军队的支援，集合时速度快如箭矢，作战时像雷电般勇猛，解散时像风停雨止一样快捷。即使有战争，敌军也从没有越过泰山，渡过清河，跨过渤海。临淄城中七万户人家，我私下里估算，每户出三名壮士，三七就是二十一万人，不必征调远方城邑的兵力，仅临淄一城的士兵就有二十一万了。临淄城非常富裕，百姓都会吹竽、鼓瑟、击筑、弹琴、斗鸡、赛狗、六博、蹋球。临淄的街道上，车轴相接、行人肩擦着肩，把衣襟连起来可做成帷帐，把衣袖举起来就成了帷幔，人们的汗洒下来就像下雨一样，家家敦实富裕，人人志气高昂。凭大王的贤明和齐国的强盛，天下诸侯都不敢跟齐国抗衡。没想到大王现在竟然向西侍奉秦国，我私底下实在为大王感到羞愧。

【原文】

“且夫韩、魏之所以畏秦者，以与秦接界也。兵出而相当，不至十日而战胜存亡之机决矣。韩、魏战而胜秦，则兵半折，四境不守；战而不胜，以亡随其后。是故韩、魏之所以重与秦战而轻为之臣也。

【译文】

“况且，韩、魏之所以畏惧秦国，是因为跟秦国接壤。秦国出兵，韩、魏面向兵锋，不到十天就可以决定双方胜败存亡的命运。假如韩、魏战胜秦军，那么韩、魏的兵力必然要损失大半，四面的边境也难以守住；假如韩、魏战败，那么灭亡随之而来。因此，韩、魏才不敢轻易向秦国宣战，而是选择了当秦的附庸国。

【原文】

“今秦攻齐则不然，倍韩、魏之地，过卫阳晋①之道，径亢父②之险，车不得方轨，马不得并行，百人守险，千人不能过也。秦虽欲深入，则狼顾，恐韩、魏之议其后也，是故恫疑虚猲[3]，高跃而不敢进，则秦不能害齐，亦已明矣。夫不深料秦之不奈我何也，而欲西面事秦，是群臣之计过也。今无臣事秦之名，而有强国之实，臣固愿大王少留计。”

齐王曰：“寡人不敏，今主君以赵王之教诏之，敬奉社稷以从。”

【注释】

①阳晋：在今山东郓城以西。②亢父：在今山东济宁以南。③猲（hè）：通“喝”。

【译文】

“现在秦攻打齐国却不是这样的，因为秦国的背后有韩、魏，而秦军要伐齐，首先必然要经过原属卫国的阳晋要道，穿越亢父的险路，可是那里车、马不能并行，只要有一百个人守住险要之处，哪怕敌军有一千人也无法通过。秦国虽然想要深入，但是又要顾及后方，担心韩、魏从背后偷袭。因此，秦国虚张声势，高高跃起，做出进攻之势，却不敢进攻，不能攻齐已经很明显了。不深入考虑秦国并不能拿齐国怎么样，却想往西侍奉秦国，是群臣的计策不当。现在齐国没有以臣子侍奉秦国的名分，而是具有强国的实力，我希望大王稍微考虑一下这一情况！”

齐宣王说：“寡人愚钝，现在您奉赵王之命赐教于齐，寡人愿举国跟从您。”

张仪为秦连横说齐王曰

【原文】

张仪为秦连横说齐王曰：“天下强国无过齐者，大臣、父兄殷众富乐，无过齐者。然而为大王计者，皆为一时说而不顾万世之利。从人说大王者，必谓：‘齐西有强赵，南有韩、魏，负海之国也，地广人众，兵强士勇，虽有百秦，将无奈我何。’大王览其说而不察其至实。

【译文】

张仪为了帮助秦国实现分别与其他六国结盟的连横政策，游说齐宣王说：“天下的强国没有超过齐的，臣子及家族的富足和快乐，也没有哪个国家能超过齐国。然而为大王谋划的人，都只为了自己一时的安稳和愉快，却没有顾及长远的利益。主张合纵的人游说大王时一定会说：‘齐国西面有强大的赵国，南面有韩、魏，东面濒临大海，土地广阔，人口众多，士兵强壮而又勇猛，即使有一百个秦国，也不能拿齐国怎么样。’大王认同了他们的说法，却没有洞察到实质。

【原文】

“夫从人朋党比周，莫不以从为可。臣闻之，齐与鲁三战而鲁三胜，国以危亡随其后，虽有胜名而有亡之实，是何故也？齐大而鲁小。今赵之与秦也，犹齐之于鲁也。秦、赵战于河漳[①]之上，再战而再胜秦；战于番吾[②]之下，再战而再胜秦。四战之后，赵亡卒数十万，邯郸仅存。虽有胜秦之名，而国破矣！是何故也？秦强而赵弱也。今秦、楚嫁子取妇[③]，为昆弟之国。韩献宜阳，魏效河外，赵入朝黾池[④]，割河间[⑤]以事秦。大王不事秦，秦驱韩、魏攻齐之南地，悉赵涉清河[⑥]，指博关[⑦]，临淄、即墨[⑧]非王之有也。国一日被攻，虽欲事秦，不可得也。是故愿大王熟计之！”

【注释】

①河漳：指漳水。②番（pán）吾：赵国邑名，在今河北磁县境。③秦、楚嫁子取妇：秦国嫁女，楚国娶妇。取，同“娶”。④黾（miǎn）池：赵国地名，在今河南渑池县西。⑤河间：指漳水与黄河之间，在今河北任丘、献县一带。⑥清河：源自今河南内黄，流经齐、赵二国。⑦博关：关名。在今山东聊城茌平区。⑧即墨：地名。在今山东平度东南。

【译文】

“主张合纵的人结为朋党，都赞同实行合纵政策。我听说，齐与鲁三次交战，鲁国三战三胜，可是随后鲁国却衰微了，最后竟因此而亡国。鲁国虽然有战胜的名头，实际上却亡国了，这是什么原因呢？因为齐国大而鲁国小。现在的赵国和秦国，就像是齐国和鲁国。秦、赵在黄河、漳水之上交战，赵国两战两胜；两国又在番吾城下交战，又是赵国两次打败了秦军。但四次战争以后，赵国损失士兵几十万，仅仅剩下邯郸。赵国虽然有战胜秦国的虚名，可是也因此而衰弱，这是什么原因呢？因为秦国强大而赵国弱小啊。现在秦、楚结为姻亲，两国成为兄弟之邦。韩国向秦国进献了宜阳，魏国向秦国进献了河外，赵国到黾池朝见秦王，割让河间地区侍奉秦国。假如大王不侍奉秦国，秦国将驱使韩、魏攻打齐国南部，命赵国的兵力全部渡过清河，直指博关，到那时临淄、即墨就不会是大王所有了。一旦齐国遭到进攻，即使齐王再想侍奉秦国也不行了。因此希望大王仔细考虑一下此事！”

【原文】

齐王曰：“齐僻陋隐居，托于东海之上，未尝闻社稷之长利。今大客幸而教之，请奉社稷以事秦。”献鱼盐之地三百里于秦也。

【译文】

齐宣王说：“齐国位于偏远地区，而且东临大海，没有听说过对社稷有长远好处的论说。现在幸而有贵客来指教，请允许我以国家社稷侍奉秦国。”于是献出产鱼盐的土地三百里给秦国。

张仪事秦惠王

【原文】

张仪事秦惠王[①]。惠王死，武王[②]立。左右恶张仪，曰：

"仪事先王不忠。"言未已，齐让又至。张仪闻之，谓武王曰："仪有愚计，愿效之王。"王曰："奈何？"曰："为社稷计者，东方有大变，然后王可以多割地。今齐王甚憎仪，仪之所在，必举兵而伐之，故仪愿乞不肖身而之梁，齐必举兵而伐之。齐、梁之兵连于城下，不能相去，王以其间伐韩，入三川，出兵函谷[3]而无伐，以临周，祭器必出。挟天子，案图籍[4]，此王业也！"王曰："善。"乃具革车三十乘，纳之梁，齐果举兵伐之。

【注释】

①秦惠王：秦孝公之子。②武王：惠王之子，名荡。③函谷：函谷关。在今河南灵宝东北。④案图籍：掌握地图和户口财务登记的表册。

【译文】

张仪侍奉秦惠王。惠王死后，武王即位。武王的近臣厌恶张仪，对武王说："张仪侍奉先王不忠。"近臣的话还没有说完，齐国对张仪的谴责就到了。张仪听说了这些事后，对武王说："我有一条愚钝的计策，愿意进献给大王。"武王说："是什么？"（张仪）说："为国家社稷考虑，如果崤山以东的各国发生大变乱，大王就能得到更多的土地。如今齐王十分憎恨我，我所在的地方，他一定会发兵攻打。所以，我请求以不肖之身前往魏国，如此一来，齐国一定会发兵攻打魏国。当齐、魏两国的兵马在大梁城下混战时，大王可以乘机攻打韩国，进入三川之地，向函谷关进兵，直逼西周地界，索取天子的祭器，然后挟持天子，掌握地图和户籍，成就帝王之业！"武王说："好。"于是准备了三十辆兵车，把张仪送到了魏国。齐国果然出兵进攻魏国。

【原文】

梁王[1]大恐。张仪曰："王勿患，请令罢齐兵。"乃使其舍人冯喜之楚，藉使之齐。齐、楚之事已毕，因谓齐王："王甚憎张仪，虽然厚矣王之托仪于秦王也。"齐王曰："寡人甚憎张仪，仪之所在，必举兵伐之，何以托仪也？"对曰："是乃王之托仪也。仪之出秦，固与秦王约曰：'为王计者，东方有大变，然后王可以多割地。齐王甚憎仪，仪之所在，必举兵伐之。故仪愿乞不肖身而之梁，齐必举兵伐梁。梁、齐之兵连于城下不能去，王以其间伐韩，入三川，出兵函谷而无伐，以临周，祭器必出，挟天子，案图籍，是王业也。’秦王以为然，与革车三十乘而内仪于梁。而果伐之，是王内自罢而伐与国，广邻敌以自孤，而信仪于秦王也。此臣之所谓托仪也。”王曰：“善。”乃止。

【注释】

①梁王：魏襄王。

【译文】

魏王十分害怕。张仪说：“大王不要担心，请允许我去说服齐国退兵。”于是让他的门客冯喜到楚国去，然后以楚国使者的身份前往齐国。冯喜处理完齐、楚之间的事务后，对齐王说：“我听说大王十分憎恨张仪，可是令我奇怪的是，大王为何如此抬举张仪，以至于令他得到秦王的宠信呢？”齐王说：“寡人非常憎恨张仪，张仪在的地方，寡人必定攻打，你凭什么说寡人抬举张仪？”冯喜回答说：“这就是大王抬举张仪之处。张仪离开秦国时曾与武王秘密约定：‘为国家社稷考虑，如果崤山以东的国家发生重大事变，大王就可以得到更多的土地。齐王十分痛恨我，我在的地方，齐王必定会引兵攻打。因此我愿意前往魏国，到时齐王一定会起兵攻打魏国。当魏、齐的军队在大梁城下混战而不能分离时，大王可乘着这间隙攻韩，进入三川之地，发兵函谷关，直逼西周，取得天子的祭器，而后挟持天子，掌握地图和户籍，成就称王的大业。’秦王觉得很好，于是给了张仪三十辆兵车，送他到了魏国。大王果然引兵伐魏，在国内使民众疲敝，在国外攻打盟国、增加邻近的敌人，使自己陷入孤立无援之地，而且让张仪得到秦王的宠信。这就是我所说的抬举张仪。”齐王说：“好。”于是停止进攻魏国。

昭阳为楚伐魏

【原文】

昭阳为楚伐魏①，覆军杀将得八城，移兵而攻齐。陈轸为齐王使，见昭阳，再拜贺战胜，起而问："楚之法，覆军杀将，其官爵何也？"昭阳曰："官为上柱国，爵为上执圭②。"陈轸曰："异贵于此者何也？"曰："唯令尹③耳。"陈轸曰："令尹贵矣！王非置两令尹也，臣窃为公譬可也。楚有祠者，赐其舍人卮酒。舍人④相谓曰：'数人饮之不足，一人饮之有余。请画地为蛇，先成者饮酒。'一人蛇先成，引酒且饮之，乃左手持卮，右手画蛇，曰：'吾能为之足。'未成，一人之蛇成，夺其卮曰：'蛇固无足，子安能为之足？'遂饮其酒。为蛇足者，终亡其酒。今君相楚而攻魏，破军杀将得八城，不弱兵，欲攻齐，齐畏公甚。公以是为名亦足矣，官之上非可重也。战无不胜而不知止者，身且死，爵且后归，犹为蛇足也！"昭阳以为然，解军而去。

【注释】

①昭阳为楚伐魏：这次战役发生在公元前323年。②上执圭：楚国最高爵位。③令尹：楚国最高官职，是军政首脑，相当于相。④舍人：左右侍从人员。

【译文】

昭阳率军讨伐魏国，击溃魏军，杀掉魏将，夺得了八座城池，接着又移师去攻打齐国。陈轸作为齐国使臣去见昭阳，他拜了两拜之后祝贺楚军的胜利，然后起身问昭阳："根据楚国的法令，击溃敌军，杀掉敌将，能得到什么官爵禄位？"昭阳说："官可以做到上柱国，爵位可为上执圭。"陈轸问："比这更尊贵的官爵还有什么？”昭阳答道：“那只有令尹了。”陈轸就说：“令尹是最尊贵的官职，但楚王不会设置两个令尹！让我为将军打个比方。楚国有个贵族举行祭祀，把一壶酒赐给随从。这些人商议道：‘这点酒不够几人喝，一个人喝又有剩余。让我们在地上画蛇，谁先画成谁喝这酒。’有个人率先画好，取过酒杯准备喝，他左手拿着酒杯，右手仍在画着，并说：‘我还能为蛇添上脚呢。’蛇脚尚未画完，另一个人的蛇也画好了，夺过他手中的酒杯，说：‘蛇本没有脚，你怎能给它添上脚呢？’便喝掉了那酒。那个为蛇画脚的人最终没有喝到酒。如今您辅佐楚王攻打魏国，击溃魏军，杀掉魏将，夺取了八座城池，兵力又没什么损耗，您又想发兵去攻打齐国，齐国十分震恐。您想以此成名已经足够了，而您却没有什么官职可以再加封的了。如果战无不胜，却不知道适可而止，恐怕会丧失性命，该得的官爵将不为您所有，这就像画蛇添足一样！”昭阳认为他的话非常有道理，就领兵回国了。

秦攻赵长平

【原文】

秦攻赵长平[1]，齐、燕救之。秦计曰：“齐、燕救赵，亲，则将退兵；不亲，则且遂攻之。”赵无以食，请粟于齐而齐不听。周子[2]谓齐王曰：“不如听之以却秦兵，不听则秦兵不却，是秦之计中而齐、燕之计过矣。且赵之于燕、齐，隐[3]蔽也，齿之有唇也，唇亡则齿寒。今日亡赵，则明日及齐、楚矣。且夫救赵之务，宜若奉[4]漏瓮，沃焦釜。夫救赵，高义也；却秦兵，显名也。义救亡赵，威却强秦之兵，不务为此而务爱粟，则为国计者过矣。”

【注释】

①长平：在今山西高平西北。②周子：齐国谋士。③隐：通“荫”，庇护。

④奉：通“捧”，用手捧。

【译文】

秦国进攻赵国的长平，齐国和燕国出兵援救赵国。秦王盘算道：“齐、燕出兵救赵，如果他们团结合作，我们就退兵；假如他们不能团结一致，我们就继续进攻。”赵国军粮将尽，派人向齐国借粮，但是齐王不肯借。谋士周子对齐王说：“大王不如把粮食暂时借给赵国，助赵国击退秦兵，如果您不答应，秦兵就无法打退，这样就正中了秦国的计策，齐、燕两国就失策了。而且赵国对于燕、齐，就是御秦的屏障，就像牙齿受嘴唇保护一样，如果没了嘴唇，牙齿就会感到寒冷。今天如果赵国灭亡，那么明天就会轮到齐国和燕国身上了。所以救援赵国就好比捧着漏水的瓮，又像浇灭烧干的锅一样，十分急迫。援救赵国是一种高尚的义举；使秦兵撤退，又彰显威武的名声。既有救赵的义举，又树立起退秦的名声，不去致力于显示正义，张扬威名，却只知吝惜粮食，这是对国家利益的长远打算有误啊。”

楚王死

【原文】

楚王[1]死，太子在齐质。苏秦谓薛公曰：“君何不留楚太子以市其下东国[2]？”薛公曰：“不可。我留太子，郢中立王，然则是我抱空质而行不义于天下也。”苏秦曰：“不然。郢中立王，君因谓其新王曰：‘与我下东国，吾为王杀太子。不然，吾将与三国共立之。’然则下东国必可得也。”

【注释】

①楚王：楚怀王，熊槐。②下东国：楚淮北靠近齐国之地。

【译文】

楚怀王死时，太子横仍在齐国充当人质。苏秦对薛公田文说："您为何不扣留楚太子以命楚国割让淮北的土地呢？"田文说："不能这样。假若我扣留楚太子，而楚国另立新王，我就不仅扣留了一个无用的人质，而且得到不义的骂名。"苏秦说："事情并非如此。如果楚国另立新王，您就可以用太子来要挟新王：'如果楚能割淮北之地于齐，我就替大王杀掉太子。否则我将联合秦、韩、魏三国共立太子为王。'那么淮北之地一定能到手。"

【原文】

苏秦之事，可以请行，可以令楚王亟入下东国，可以益割于楚，可以忠太子而使楚益入地，可以为楚王走太子，可以忠太子使之亟去，可以恶苏秦于薛公，可以为苏秦请封于楚，可以使人说薛公以善苏子，可以使苏子自解于薛公。

【译文】

苏秦的办法，可以请求出使楚国，可以迫使楚王快速地割让淮北之地给齐国，可以让楚国多割让土地，可以假装忠于楚太子而迫使楚国增加割地的数目，可以为楚王赶走太子，可以假装忠于太子而让他尽快离开齐国，可以借此事在田文那里诋毁苏秦，可以令人说动田文让他善待苏秦，可以让苏秦在田文面前为自己开脱。

【原文】

苏秦谓薛公曰："臣闻谋泄者事无功，计不决者名不成。今君留太子者，以市下东国也。非亟得下东国者，则楚之计变，变则是君抱空质而负名于天下也。"薛公曰："善。为之奈何？"对曰："臣请为君之楚，使亟入下东国之地。楚得成，则君无败矣。"薛公曰："善。"因遣之。故曰可以请行也。

【译文】

苏秦对薛公说："我听说，'计谋泄露的话就不会成功，遇事不果断就难以成名'。如今您扣留太子，是为了得到淮北的土地。

如果您不尽快得到淮北，恐怕楚国会改变计划，一旦如此，您便会处于空守无用的人质而身负不义恶名的尴尬境地。”薛公说：“对。但是我该怎么办呢？”苏秦回答说：“我愿意为您出使楚国，游说它尽快割让淮北的土地。一旦得到土地，您便立于不败之地了。”薛公说：“好。”于是派苏秦到楚国完成使命。因此说苏秦可以请求出使楚国。

【原文】

谓楚王曰：“齐欲奉太子而立之。臣观薛公之留太子者，以市下东国也。今王不亟入下东国，则太子且倍王之割而使齐奉己。”楚王曰：“谨受命。”因献下东国。故曰可以使楚亟入地也。

【译文】

苏秦对新立的楚王说：“齐人准备拥立太子为楚王。我看薛公扣下太子是为了来交换淮北的土地。现今大王如果不尽快把淮北之地献给齐国，太子便会答应用加倍的土地换取齐人对自己的支持。”新立的楚王答道：“我恭敬地接受您的教诲。”于是献出淮北之地。因此说可以迫使楚王很快割让淮北之地给齐国。

【原文】

谓薛公曰：“楚之势，可多割也。”薛公曰：“奈何？”“请告太子其故，使太子谒之君，以忠太子；使楚王闻之，可以益入地。”故曰可以益割于楚。

【译文】

苏秦对薛公说：“看楚国的形势，还可以多割些土地。”薛公问：“有什么办法？”苏秦说：“请让我把内情告诉太子，让太子正式向您提出加倍割地的请求；再让楚国新王听到这一事实，就可以多割取些土地。”因此说可以假装忠于楚太子而迫使楚国增加割地的数目。

【原文】

谓太子曰：“齐奉太子而立之，楚王请割地以留太子，齐少其地。太子何不倍楚之割地而资齐，齐必奉太子。”太子曰：“善。”倍楚之割而延齐。楚王闻之恐，益割地而献之，尚恐事不成。故曰可以使楚益入地也。

【译文】

苏秦前去拜见太子，对他说：“齐国拥立太子为楚王，可是新立的楚王却以割让土地来使齐国扣留太子。齐国认为得到的土地太少，太子为何不答应割让比楚国新王多一倍的土地给齐国呢？（若能如此）齐人一定会支持您。”太子说：“好。”就把比楚王割让的多一倍的土地许诺给齐国。楚王听到这个消息，十分惊慌，便割让更多的土地，即使这样还是害怕事情不能成功。因此说苏秦的计策可以使楚王割更多的土地。

【原文】

谓楚王曰：“齐之所以敢多割地者，挟太子也。今已得地而求不止者，以太子权王也，故臣能去太子。太子去，齐无辞，必不倍于王也。王因驰强齐而为交，齐必听王。然则是王去雠而得齐交也。”楚王大悦，曰：“请以国因。”故曰可以为楚王使太子亟去也。

【译文】

苏秦对楚国新王说：“齐人之所以敢多割取楚地，是因为他们以扣留太子为要挟。现在齐国虽已得到土地，但是仍然纠缠不休，这就是因为太子还被扣留在齐国，能和大王势均力敌。臣能设法赶走太子。太子一走，齐国就没有什么借口了，这样，他就不会违背大王了。大王趁机与强大的齐国交好，齐人一定会接受大王的要求。这样一来，大王既消灭了仇敌，又结交到了强大的齐国。”楚王听了十分高兴，说：“寡人就把楚国托付给您了。”所以说苏秦的计策可以替楚王早点赶走太子。

【原文】

谓太子曰：“夫剬①楚者王也，以空名市者太子也，齐未必信太子之言也，而楚功见矣。楚交成，太子必危矣。太子其图之。”太子曰：“谨受命。”乃约车而暮去。故曰可以使太子急去也。

【注释】

①制（zhì）：同“制”，控制。

【译文】

苏秦对太子说：“现在控制楚国的人是楚王，用空话做交易的是太子您啊，齐人未必会相信太子的诺言，这就显示出楚王确实有献地的诚意。一旦齐、楚建立邦交，太子的处境就十分危险了，请太子早点想出对策。”太子说：“遵从您的教诲。”于是准备好车辆，连夜逃走。因此可以说苏秦的计策能尽早打发太子离开齐国。

【原文】

苏秦使人谓薛公曰：“夫劝留太子者苏秦也。苏秦非诚以为君也，且以便楚也。苏秦恐君之知之，故多割楚以灭迹也。今劝太子者又苏秦也，而君弗知，臣窃为君疑之。”薛公大怒于苏秦。故曰可使人恶苏秦于薛公也。

【译文】

苏秦派人告诉薛公，说：“劝您扣留太子的人是苏秦。苏秦并非真正替您打算，他其实是为楚国的利益着想。苏秦唯恐您识破这事，便通过多割取楚地的做法来掩饰实际帮助楚国的形迹。这次劝太子离开齐国的也是苏秦，可是您并不知道，我私下里替您怀疑他的用心。”因此可以说苏秦的计策能使人到孟尝君那里诋毁自己。

【原文】

又使人谓楚王曰：“夫使薛公留太子者苏秦也，奉王而代立楚太子者又苏秦也，割地固约者又苏秦也，忠王而走太子者又苏秦也。今人恶苏秦于薛公，以其为齐薄而为楚厚也。愿王之知之。”楚王曰：”谨受命。”因封苏秦为武贞君。故曰可以为苏秦请封于楚也。

【译文】

苏秦又派人到新楚王那里说："让薛公扣留太子的是苏秦，尊奉大王取代太子立为楚王的也是苏秦，割地给齐国来巩固协议的是苏秦，忠于大王而赶走太子的还是苏秦。现在有人在薛公那里说苏秦的坏话，说他是因为对齐国薄情，而对楚国有厚意。希望大王能够了解到这一点。"楚王说："遵从您的教诲。"于是封苏秦为武贞君。因此，可以说苏秦的计策能为自己赢得楚国的封赏。

【原文】

又使景鲤谓薛公曰："君之所以重于天下者，以能得天下之士而有齐权也。今苏秦天下之辩士也，世与少有。君因不善苏秦，则是围塞天下士而不利说途也。夫不善君者且奉苏秦，而于君之事殆矣！今苏秦善于楚王，而君不蚤亲，则是身与楚为雠也。故君不如因而亲之，贵而重之，是君有楚也。"薛公因善苏秦。故曰可以为苏秦说薛公以善苏秦。

【译文】

苏秦又让景鲤告诉田文，说："您之所以能被天下人重视，是因为您能结交天下有才能的人，并且在齐国掌握实权。现在苏秦是天底下最能言善辩的人，当世少有。您如果不好好对待苏秦，就会堵塞天下人士游说晋升的道路。如果您的政敌支持苏秦，您的处境就十分危险了！现在苏秦与楚王的交情很好，假如您不及早结交苏秦，就很容易与楚国结仇。因此您不如顺势和苏秦亲近，让他富贵荣达，您便会得到楚国的支持。"于是田文对苏秦很好。因此可以说苏秦的计策能够让田文善待自己。

齐王夫人死

【原文】

齐王夫人死，有七孺子皆近。薛公欲知王所欲立，乃献七珥[①]，美其一。明日视美珥所在，劝王立为夫人。

【注释】

①珥（ěr）：串有珠玉的耳饰。

【译文】

齐王的夫人死了，有七个妃嫔都是齐王所宠爱的。田文想要知道齐王会立哪一位为夫人，于是便进献七副耳饰，其中只有一副最漂亮。第二天他看是谁戴着那副最漂亮的耳饰，就劝齐王立她做夫人。

孟尝君将入秦

【原文】

孟尝君将入秦，止者千数而弗听。苏秦欲止之，孟尝曰：“人事者，吾已尽知之矣；吾所未闻者，独鬼事耳。”苏秦曰：“臣之来也，固不敢言人事也，固且以鬼事见君。”

【译文】

孟尝君准备到秦国去，很多人都来劝阻他，但他都不肯听从。苏秦想要劝阻他，孟尝君说：“与人有关的事情，我全都知道了；我所不知道的，只有鬼怪之事而已。”苏秦说：“臣这次来原本就不敢谈与人有关的事情，而是来和你讨论鬼神之事的。”

【原文】

孟尝君见之。谓孟尝君曰：“今者臣来，过于淄[①]上，有土偶人[2]与桃梗[3]相与语。桃梗谓土偶人曰：‘子，西岸之土也，埏[4]子以为人，至岁八月[5]，降雨[6]下，淄水至，则汝残矣。’土偶曰：‘不然。吾西岸之土也，吾残则复西岸耳。今子，东国之桃梗也，刻削子以为人，降雨下，淄水至，流子而去，则子漂漂者将何如耳。’今秦，四塞之国[7]，譬若虎口，而君入之，则臣不知君所出矣。”孟尝君乃止。

【注释】

①淄：水名，淄水。②土偶人：用泥土做成的人形。③桃梗：用桃木刻成的人偶。④埏（shān）：将水和土和在一起。⑤八月：这里指周历八月，相当于夏历六月，正值雨季。⑥降雨：降，通“洚（jiàng）”，大雨。⑦四塞之国：周围有高山和要塞的国家。

【译文】

孟尝君接见了苏秦。苏秦对孟尝君说：“这次臣来齐国，途经淄水，在那儿听见了土人偶和桃木人偶的谈话。桃木人偶对土人偶说：‘你是西岸之土，被捏成人形，一旦到了八月，天降大雨，淄水暴涨，你必定会被大水冲毁。’土人偶说：‘不是这样的。我原本是西岸的泥土，即使被大水冲坏，也仍然是西岸的泥土。至于你，你原本是东方的桃木，被人雕刻成了人形，如果天降大雨，淄水暴涨，就会把你冲走，那时你四处漂流，还不知道会漂到哪儿去呢。’如今秦国是一个四面都是要塞的国家，就像是老虎口，你要是进去了，臣不知道您还能否平安出来。”孟尝君听了之后，就取消了他的行程。

孟尝君舍人有与君之夫人相爱者

【原文】

孟尝君舍人有与君之夫人相爱者。或以问孟尝君曰：

“为君舍人而内与夫人相爱，亦甚不义矣，君其杀之。”君曰：“睹貌而相悦者，人之情也，其错之勿言也。”

【译文】

孟尝君的一个门客和他的夫人有私情。有人告诉孟尝君，说：“此人作为您的门客，竟然在家中和您的夫人产生私情，这太不符合道义了，您应该杀掉他。”孟尝君说：“看见美貌的人而心生爱慕，这是人的常情，这件事就不要再说了。”

【原文】

居期年，君召爱夫人者而谓之曰：“子与文交游久矣，大官未可得，小官公又弗欲。卫君[1]与文布衣交，请具车马皮币[2]，愿君以此从卫君游。”舍人游于卫甚重。

【注释】

①卫君：卫嗣君。②皮币：皮毛和丝织物，在古代是贵重物品，主要用于送礼。

【译文】

大概过了一年，孟尝君召见那个与夫人有私情的门客，对他说：“您和我结交的时间很久了，不能做大官，小官您又不愿意做。卫君在没有即位时就和我交好，田文愿替先生准备车马、皮裘、缯帛等见面礼，希望您能和卫君结交。”这个门客后来果然很受卫君重视。

【原文】

齐、卫之交恶，卫君甚欲约天下之兵以攻齐。是人谓卫君曰：“孟尝君不知臣不肖，以臣欺君。且臣闻齐、卫先君刑马压羊[1]，盟曰：‘齐、卫后世无相攻伐，有相攻伐者，令其命如此。’今君约天下之兵以攻齐，是足下倍先君盟约而欺孟尝君也。愿君勿以齐为心。君听臣则可；不听臣，若臣不肖也，臣辄以颈血湔足下衿。”卫君乃止。齐人闻之曰：“孟尝君可谓善为事矣，转祸为功。”

【注释】

①刑马压羊：刑、压，都是宰杀的意思。

【译文】

后来齐国和卫国的关系恶化，卫嗣君很想联合诸侯军队攻打齐国。这个门客就对卫嗣君说：“孟尝君不知道臣其实没有才能，把臣推荐给您。况且臣曾听闻齐、卫两国的先君杀马宰羊，结下盟约，说：‘齐、卫的子孙以后不能相互攻打，如果有出兵攻打对方的，让他们的下场就像今天的马、羊一样。’如今大王联合诸侯，准备去进攻齐国，正是违背先君的盟约，也欺骗了孟尝君。臣希望您不要一心想着攻打齐国。大王听从臣的劝告也就罢了，如果不听的话，我没什么能力，就把颈项的血溅在您的衣襟之上。”于是卫嗣君打消了攻打齐国的念头。齐人听到这件事以后都说道：“孟尝君真是善于处理事情的人啊，能够把祸患转变为功劳。”

孟尝君出行国

【原文】

孟尝君出行国，至楚，献象床。郢之登徒①直使②送之，不欲行，见孟尝君门人公孙戍曰：“臣，郢之登徒也，直送象床。象床之直千金，伤此若发漂③，卖妻子不足偿之。足下能使仆无行，先人有宝剑，愿得献之。”公孙曰：“诺。”

【注释】

①登徒：复姓，其人名已散佚。②直使：当值的使者。直，通“值”。③发漂：细微。

【译文】

孟尝君到各诸侯国巡视，到达楚国，楚国送给他一张象牙床。郢都一个姓登徒的人正好当班，应该负责护送象牙床，可是他不想去，于是去见孟尝君的门客公孙戍，说：“我是郢人登徒，轮到我护送象牙床，可是那床价值千金，万一有细微的破损，即使卖掉妻子儿女也不够偿还。先生如果能帮我推掉这份差事，我愿意把祖先的宝剑献给您。”公孙戍说：“好。”

【原文】

入见孟尝君曰：“君岂受楚象床哉？”孟尝君曰：“然。”公孙戍曰：“臣愿君勿受。”孟尝君曰：“何哉？”公孙戍曰：“小国所以皆致相印于君者，闻君于齐能振达贫穷，有存亡继绝之义。小国英桀之主，皆以国事累君，诚说君之义，慕君之廉也。今君到楚而受象床，所未至之国，将何以待君？臣戍愿君勿受。”孟尝君曰：“诺。”

【译文】

公孙戍拜见孟尝君，说：“您接受楚人馈赠的象牙床了吗？”孟尝君说：“是。”公孙戍说：“我希望您不要接受。”孟尝君说：“为什么？”公孙戍说：“小国之所以都将相印托付给您保管，是因为他们听说您在齐国能赈济孤贫，有存亡继绝的仁义之举。小国英明的君主，都将国事托付给您，是因为他们欣赏您的仁义，爱慕您的廉洁啊。您若在楚国接受了象牙床，那么其他小国将用什么招待您呢？所以我希望您不要接受。”孟尝君说：“好。”

【原文】

公孙戍趋而去，未出至中闺[①]，君召而返之，曰：“子教文无受象床，甚善。今何举足之高，志之扬也？”公孙戍曰：“臣有大喜三，重之宝剑一。”孟尝君曰：“何谓也？”公孙戍曰：“门下百数，莫敢入谏，臣独入谏，臣一喜；谏而得听，臣二喜；谏而止君之过，臣三喜。输象床，郢之登徒不欲行，许戍以先人之宝剑。”孟尝君曰：“善。受之乎？”公孙戍曰：“未敢。”曰：“急受之。”因书门版曰：“有能扬文之名，止文之过，私得宝于外者，疾入谏。”

【注释】

①闺：宫中的小门，上圆下方。

【译文】

公孙戍小步快走地离开了，还没出门，孟尝君就把他召了回来，说："先生叫我勿受象牙床，这很好。可是，您为什么脚抬得这么高，一副意气风发的样子呢？"公孙戍说："我有三大喜事，外加得到一柄宝剑。"孟尝君不解道："这是什么意思？"公孙戍说："您门下食客数百人，没有人敢来劝谏，只有我一个人入内劝谏，这是一喜；我的劝谏您听从了，这是二喜；能阻止您的过错，这是三喜。郢人登徒不愿意运送象牙床，让我帮他推掉这份差事，许诺（事成之后）把他家祖传的宝剑给我。"孟尝君说："很好。那你接受宝剑了吗？"公孙戍说："我不敢接受馈赠。"孟尝君说："赶快收下！"于是孟尝君在门扇上写道："有能传扬我的名声，而阻止我的过错，私下在外获得宝物的人，快来进谏！"

齐欲伐魏

【原文】

齐欲伐魏。淳于髡谓齐王[①]曰："韩子卢者，天下之疾犬也。东郭逡者，海内之狡兔也。韩子卢逐东郭逡，环山者三，腾山者五，兔极于前，犬废于后，犬兔俱罢，各死其处。田父见之，无劳倦之苦，而擅其功。今齐、魏久相持，以顿其兵，弊其众，臣恐强秦、大楚承其后，有田父之功。"齐王惧，谢将休士也。

【注释】

①齐王：齐威王。

【译文】

齐国想攻打魏国。淳于髡对齐王说："韩子卢是天下跑得极快的狗，东郭逡则是世上十分狡猾的兔子。韩子卢追逐东郭逡，绕着山追了三圈，翻了五次山，兔子在前面尽力地跑，狗在后面拼命地追，狗和兔子都很疲倦，最后都累死在地。有个农夫看见了它们，他没有经过任何劳动的痛苦，却得了好处。现在齐、魏两国相持不下，致使双方的士兵都很劳累，百姓也很疲惫，我担心秦、楚两个强敌会紧随其后，得到上面所说的农夫之利。”齐王害怕了，下令休养将士，不再出兵。

齐人有冯谖者

【原文】

齐人有冯谖[1]者，贫乏不能自存，使人属[2]孟尝君，愿寄食门下。孟尝君曰："客何好？"曰："客无好也。"曰："客何能？"曰："客无能也。"孟尝君笑而受之曰："诺。"左右以君贱之也，食以草具。

【注释】

①冯谖（xuān）：齐国人，是一位眼光深远的战略家。②属（zhǔ）：嘱托。

【译文】

齐国有个名叫冯谖的人，他家境贫寒，不能养活自己，于是让人嘱托孟尝君，说他想在孟尝君门下做食客。孟尝君问："先生爱好什么？"冯谖说："我没有爱好。"孟尝君又问："先生有什么本领？"他说："我没有本领。"孟尝君笑着接纳了他："好的。"孟尝君身边的人认为主人轻视冯谖，就拿粗茶淡饭给他吃。

【原文】

居有顷，倚柱弹其剑，歌曰："长铗[1]归来乎！食无鱼。"左右以告。孟尝君曰："食之，比门下之客。"居有顷，复弹其铗，歌曰："长铗归来乎！出无车。"左右皆笑之，以告。孟尝君曰："为之驾，比门下之车客。"于是乘其车，揭其剑，过其友曰："孟尝君客我。"后有顷，复弹其剑铗，歌曰："长铗归来乎！无以为家。"左右皆恶之，以为贪而不知足。孟尝君问："冯公有亲乎？"对曰："有老母。"孟尝君使人给其食用，无使乏。于是冯谖不复歌。

【注释】

①铗（jiá）：剑。

【译文】

（在孟尝君府上）住了一段时间，冯谖就背靠柱子，弹着剑唱起歌来："长剑呀，我们还是回去吧，因为没有鱼吃。"孟尝君的近侍把这件事告诉了孟尝君。孟尝君说："按照一般门客的标准给他食物。"住了不久，冯谖又弹起他的剑，唱道："长剑呀，我们还是回去吧，因为出门没有车坐。"孟尝君的近侍都笑这件事，告诉了孟尝君这件事。孟尝君说："以门下有车的食客的标准给他配车。"于是冯谖驾着车，举着剑，拜访他的朋友，说："孟尝君让我做他的门客。"这样过了一段时间，冯谖又弹着剑，唱道："长剑呀，咱们还是回去吧，因为没有安身之所。"近侍们都开始厌恶他，认为他贪得无厌。孟尝君问道："冯先生有父母吗？"冯谖回答道："有个老母亲。"孟尝君让人为他母亲提供食物和生活用品，不让他母亲缺衣少食，于是冯谖从此不再唱歌。

【原文】

后孟尝君出记①，问门下诸客："谁习计会，能为文收责②于薛者乎？"冯谖署曰："能。"孟尝君怪之，曰："此谁也？"左右曰："乃歌夫'长铗归来'者也。"孟尝君笑曰："客果有能也，吾负之，未尝见也。"请而见之，谢曰："文倦于事，愦于忧，而性懧③愚，沉于国家之事，开罪于先生。先生不羞，乃有意欲为收责于薛乎？"冯谖曰："愿之。"于是约车治装，载券契而行，辞曰："责毕收，以何市而反？"孟尝君曰："视吾家所寡有者。"

【注释】

①记：告示。②责：通“债”。③拧（nuò）：古同“懦”，懦弱。

【译文】

后来，孟尝君出了一则告示，问门下的众多食客：“请问哪一位通晓会计，能替我到薛地收债呢？”冯谖签上名字，说：“我能。”孟尝君看了很诧异，说：“他是谁呀？”侍从说：“就是那个唱‘长剑呀，我们还是回去吧’的人。”孟尝君笑道：“他果然有才能，我辜负了他，还未跟他见过面呢。”于是请他来相见，并向他谢罪：“我每日为琐事所累，被忧愁弄得头昏脑涨，而且生性懦弱愚笨，耽溺于政务，以致得罪了先生。先生不但不责怪我，还愿意替我到薛地收债，是吗？”冯谖说：“是的。”于是孟尝君替他备好行装，他就载着债券出发了。与孟尝君告别时，冯谖问：“收完债后，买什么东西回来？”孟尝君说：“买点我家缺少的东西吧。”

【原文】

驱而之薛，使吏召诸民当偿者悉来合券。券遍合，起矫命，以责赐诸民，因烧其券，民称万岁。

【译文】

冯谖坐着马车到了薛地，让官吏把该还债的百姓都叫来，一一核对债券。核对完债券之后，冯谖站起来，改变了孟尝君的命令，将债款赏给了这些百姓，并烧掉了那些债券，令百姓感激涕零。

【原文】

长驱到齐，晨而求见。孟尝君怪其疾也，衣冠而见之，曰：“责毕收乎？来何疾也！”曰：“收毕矣。”“以何市而反？”冯谖曰：“君云‘视吾家所寡有者’，臣窃计，君宫中积珍宝，狗马实外厩，美人充下陈[1]。君家所寡有者，以义耳！窃以为君市义。”孟尝君曰：“市义奈何？”曰：“今君有区区之薛，不拊[2]爱子其民，因而贾利之。臣窃矫君命，以责赐诸民，因烧其券，民称万岁。乃臣所以为君市义也。”孟尝君不说，曰：“诺。先生休矣！”

【注释】

①下陈：厅堂之下的庭院。②拊：通“抚”，安抚。

【译文】

冯谖又马不停蹄地返回齐国都城临淄，大清早就去求见孟尝君，孟尝君见他回来得这么快，非常好奇，穿好衣服、戴好帽子接见他，说：“债都收回了吗？为什么回来得这样快？”冯谖答道：“都收完了。”“先生替我买了些什么回来？”冯谖说：“您说‘买点我家所缺少的东西’，我私底下想，您的宫中珍宝无数，犬马满厩，美女成行，所缺少的只有仁义，于是私自为您买了仁义。”孟尝君说：“怎样买仁义？”冯谖说：“现在您封地只有小小的薛地，您不但不好好体恤薛地的子民，反而像商人一样从他们身上榨取利益。我为您考虑，私自改变了您的命令，将债款都赐给老百姓，并焚毁了债券，百姓欢呼万岁，这就是我替您买的仁义呀！”孟尝君心里并不高兴，说：“我知道了，先生去休息吧。”

【原文】

后期年，齐王①谓孟尝君曰：“寡人不敢以先王之臣为臣。”孟尝君就国于薛，未至百里，民扶老携幼，迎君道中。孟尝君顾谓冯谖曰：“先生所为文市义者，乃今日见之。”

【注释】

①齐王：齐闵王。

【译文】

一年以后，齐王对孟尝君说：“寡人不敢任用先王的臣子。”孟尝君只好回到自己的封地薛，老百姓扶老携幼，在距离薛地还有一百里的地方迎接孟尝君。孟尝君回头对冯谖说：“先生为我买的‘义’，我今天方才看到。”

【原文】

冯谖曰：“狡兔有三窟，仅得免其死耳。今君有一窟，未得高枕而卧也。请为君复凿二窟。”孟尝君予车五十乘，金五百斤，西游于梁，谓梁王曰：“齐放其大臣孟尝君于诸侯，诸侯先迎之者，富而兵强。”于是，梁王虚上位，以故相为上将军，遣使者，黄金千斤，车百乘，往聘孟尝君。冯谖先驱诫孟尝君曰：“千金，重币也；百乘，显使也。齐其闻之矣。”梁使三反，孟尝君固辞不往也。

【译文】

冯谖说：“狡猾的兔子需要有三处洞穴才能免死。如今您只有一处洞穴，还不能高枕无忧，请允许我替您再开凿两处洞穴。”孟尝君便给他五十辆车，五百斤金，让他向西去游说魏国。冯谖对魏惠王说：“齐国放逐了大臣孟尝君，先迎接孟尝君的诸侯，必定会国富兵强。”于是魏王空出相位，让原来的相国做上将军，派出使者，用千斤黄金、百乘马车聘请孟尝君。冯谖事先赶回薛地，告诫孟尝君说：“千斤黄金是极贵重的财物，百乘马车是极隆重的使节，齐国应该知道这件事了。”魏国使者接连跑了三趟，可是孟尝君都坚决推辞了，没有前往魏国。

【原文】

齐王闻之，君臣恐惧，遣太傅①赍②黄金千斤，文车③二驷，服剑④一，封书谢孟尝君曰：“寡人不祥，被于宗庙之祟，沉于谄谀之臣，开罪于君，寡人不足为也。愿君顾先王之宗庙，姑反国统万人乎？”冯谖诫孟尝君曰：“愿请先王之祭器，立宗庙于薛。”庙成，还报孟尝君曰：“三窟已就，君姑高枕为乐矣。”

孟尝君为相数十年，无纤介之祸者，冯谖之计也。

【注释】

①太傅：齐的高官。②赍（jī）：赠送。③文车：绘有彩色图案的车。④服剑：国君佩带的剑。

【译文】

听到这件事，齐国君臣都很恐惧，齐王连忙派遣太傅带着一千斤黄金，两辆有纹饰的车及一把宝剑，去请孟尝君，并写信向孟尝君谢罪说:“都是寡人运气不好,遭受祖宗降下的祸难,听信谄媚之言,得罪了先生。寡人不值得您辅佐,但请先生顾念先王的宗庙,暂且回国执掌政务。”冯谖告诫孟尝君说:“希望您向齐王求取先王的祭器,在薛地立下宗庙。”宗庙建成,冯谖回来报告孟尝君说:“三处洞穴已经建好,殿下可以安心地享乐了。”

孟尝君为相几十年,连细草一样小的祸患也没有遇到,正是得益于冯谖的计谋啊!

先生王斗造门而欲见齐宣王

【原文】

先生王斗[1]造门而欲见齐宣王，宣王使谒者延入。王斗曰：“斗趋见王为好势，王趋见斗为好士，于王何如？”使者复还报。王曰：“先生徐之，寡人请从。”宣王因趋而迎之于门，与入，曰：“寡人奉先君之宗庙，守社稷，闻先生直言正谏不讳。”王斗对曰：“王闻之过。斗生于乱世，事乱君，焉敢直言正谏？”宣王忿然作色，不说。

【注释】

①王斗：齐国人。

【译文】

王斗先生登门,想面见齐宣王。宣王让侍者请他进门。王斗说:“我赶着去见大王是趋炎附势,而大王主动来见我则是礼贤下士,不知大王是怎么想的?”侍者向宣王禀报了这件事。宣王赶紧说:“请先生慢慢走,寡人要亲自去迎接他!”于是齐宣王快步走到宫门口去迎接王斗,和他一起入宫。宣王说:“寡人不才,有幸得以奉守先王的宗庙,守卫社稷,听说先生能直言进谏而不避讳。”王斗对答说:“大王所听说的不对。我生于乱世,又遇到了昏君,怎么敢直言进谏?”宣王听了非常愤怒,脸色不好,很不高兴。

【原文】

有间，王斗曰："昔先君桓公所好者五，九合诸侯，一匡天下，天子受籍[①]，立为大伯[②]。今王有四焉。"宣王说，曰："寡人愚陋，守齐国，唯恐失抎[③]之，焉能有四焉？"斗曰："否。先君好马，王亦好马；先君好狗，王亦好狗；先君好酒，王亦好酒；先君好色，王亦好色；先君好士，而王不好士。"宣王曰："当今之世无士，寡人何好？"王斗曰："世无骐𬴐騄耳，王驷已备矣；世无卢氏之狗，王之走狗已具矣；世无毛嫱、西施，王宫已充矣。王亦不好士也，何患无士？"

【注释】

①籍：通"阼（zuò）"，侯伯之位。②大伯：伯，通"霸"。诸侯的领袖。③抎（yǔn）：失掉。

【译文】

过了一会儿，王斗说："当初，先主桓公有五样爱好，后来他九合诸侯，匡扶周室，周天子赐了封地给他，承认他为诸侯的领袖。现在大王有四种爱好与先主相同。"宣王听了转怒为喜，说："寡人愚笨鄙陋，守护齐国唯恐有误，怎么能有先主的四样爱好呢？"王斗说："不是这样的。先主喜爱马，王也喜爱马；先主喜爱狗，王也喜爱狗；先主喜欢喝酒，王也喜欢喝酒；先君喜欢美女，王也喜欢美女；先主重视人才，王却不重视人才。"宣王说："当今世上没有人才，寡人怎么喜爱他们？"王斗说："当世没有骐𬴐、騄耳这样的骏马，可是大王的四驷已经齐备了；没有卢氏那样的良犬，可是大王的狗已经具备了；也没有毛嫱、西施那样的美女，可是王宫中的嫔妃也已充盈。大王只是不喜欢贤士而已，哪里是因为当今没有贤士呢？"

【原文】

王曰："寡人忧国爱民，故愿得士以治之。"王斗曰："王之忧国爱民，不若王爱尺縠[①]也。"王曰："何谓也？”王斗曰：“王使人为冠，不使左右便辟[2]而使工者，何也？为能之也。今王治齐，非左右便辟无使也，臣故曰不如爱尺縠也。”宣王谢曰：“寡人有罪国家。”于是举士五人任官，齐国大治。

【注释】

①縠（hú）：用细纱纺织而成的丝织物。②便（pián）辟：以阿谀奉承博得君主宠信的近臣。

【译文】

宣王说：“寡人忧国忧民，所以愿意有贤士辅助我治理齐国。”王斗说：“大王忧国忧民，比不上爱惜一尺绉纱。”宣王问道：“这说的是什么呢？”王斗说：“大王让人做帽子，不用身边的侍臣而请能工巧匠，为什么呢？是因为他们有才能。可是现在大王治理齐国，却只任用近侍，所以我说大王爱国家社稷不如爱一尺绉纱。”宣王谢罪道：“寡人对国家有罪。”于是选拔了五位贤士，让他们在朝中任职，齐国因而大治。

齐王使使者问赵威后

【原文】

齐王[1]使使者问赵威后[2]，书未发，威后问使者曰：“岁亦无恙耶？民亦无恙耶？王亦无恙耶？”使者不说，曰：“臣奉使使威后，今不问王而先问岁与民，岂先贱而后尊贵者乎？”威后曰：“不然。苟无岁，何以有民？苟无民，何以有君？故有舍本而问末者耶？”

【注释】

①齐王：齐襄王，姓田，名法章。②赵威后：赵惠文王之妻。

【译文】

齐襄王派使者问候赵威后，赵威后还没有打开书信，就问使者："今年齐国的收成还好吧？百姓安乐吗？你们大王身体还健康吧？"使者有点不高兴，说："臣奉大王的命令向太后问好，您不先问我们大王的状况，却先打听收成和百姓的状况，岂不是置百姓于先，置大王于后吗？"赵威后回答说："不是这样的。如果收成不好，百姓怎么生存呢？如果没有百姓，大王又怎能做君王呢？岂有舍本逐末的道理？"

【原文】

乃进而问之曰："齐有处士曰钟离子，无恙耶？是其为人也，有粮者亦食，无粮者亦食；有衣者亦衣①，无衣者亦衣。是助王养其民者也，何以至今不业也？叶阳子无恙乎？是其为人，哀鳏②寡，恤孤独③，振困穷，补不足，是助王息其民者也，何以至今不业也？北宫之女婴儿子无恙耶？彻④其环瑱，至老不嫁，以养父母，是皆率民而出于孝情者也，胡为至今不朝也？此二士弗业，一女不朝，何以王齐国，子万民乎？於陵子仲尚存乎？是其为人也，上不臣于王，下不治其家，中不索交诸侯。此率民而出于无用者，何为至今不杀乎？"

【注释】

①有衣者亦衣：前一个"衣"为名词衣服，后一个"衣"为动词拿衣服给人穿。②鳏（guān）：老而无妻的男人。③孤独：孤，幼而无父。独，老而无子。④彻：通"撤"，除去。

【译文】

她又进一步问道："齐国有一位隐士叫钟离子，他好吗？这个人主张让有粮食的人有食物吃，没粮食的人也有食物吃；有衣服的给他们衣服穿，没有衣服的也给他们衣服穿。这是在帮助君王抚养百姓，齐王为何到现在还不使他成就功业呢？叶阳子的身体还好吧？这个人主张怜悯鳏夫和寡妇，抚恤孤儿老人，接济穷困的人，补助缺少衣食的人。这是协助大王使百姓繁衍生息的人，齐王为何到现在还不使他成就功业呢？北宫的孝女婴儿子好吗？她摘去玉环和耳坠，直至老去也不出嫁，全心全意奉养双亲。她是引导百姓奉行孝道的人，为什么到现在还没被朝廷褒奖？这样的两位隐士不能成就功业，一位孝女不能入朝，齐王凭什么来统治国家，而成为百姓的君主呢？於陵子仲这个人还活着吗？他这个人在上对君王不称臣，在下不能治理好他的家庭，于中又不和诸侯结交，这是在引导百姓无所作为，齐王为什么到现在还不处死他呢？”

齐人见田骈曰

【原文】

齐人见田骈①曰：“闻先生高议，设为不宦，而愿为役。”田骈曰：“子何闻之？”对曰：“臣闻之邻人之女。”田骈曰：“何谓也？”对曰：“臣邻人之女，设为不嫁，行年三十而有七子，不嫁则不嫁，然嫁过毕矣。今先生设为不宦，訾养千钟，徒百人，不宦则然矣，而富过毕也。”田子辞。

【注释】

①田骈：战国时齐国有名的学者。

【译文】

有一个齐国人去拜见田骈，说：“听说先生有高妙的言论，如果您不做官，我愿意侍奉您。”田骈问：“你是从哪里听到的？”那人答道：“从邻家的一位女子那里听来的。”田骈问：“你是什么意思？”那人说：“我邻居家有个女子，明明说不出嫁，但是到三十岁时已经有了七个孩子，她确实是没出嫁，但是比出嫁的女子更厉害。如今先生说是不做官，却享有很多财富，役使百名仆人，确实是没做官，可是比做官的还富有！”田骈于是辞谢了他。

齐负郭之民有狐咺者正议

【原文】

齐负郭之民有狐咺①者正议，闵王斫之檀衢②，百姓不附；齐孙室子陈举直言，杀之东闾③，宗族离心；司马穰苴④为政者也，杀之，大臣不亲。以故燕举兵，使昌国君⑤将而击之。齐使触子⑥将而应之。齐军破，触子以舆一乘亡。达子⑦收余卒复振，与燕战，求所以偿者，闵王不肯与，军破走。

【注释】

①狐咺：古人名。齐国的平民。②檀衢：齐国城内的道路名称。③东闾：东边的城门。④司马穰苴（jū）：人名。齐宗室，又称“田穰苴”。⑤昌国君：燕国上将军乐毅。⑥触子：人名。齐将。⑦达子：人名。齐将。

【译文】

齐国近郊有一个居民名叫狐咺，他直言议论政事，齐闵王在檀衢把他处死，致使百姓对闵王生出抗拒之心；齐国宗室中有个叫陈举的人，他直言批评朝政，齐闵王在东闾处死了他，致使齐国宗族与闵王异心；司马穰苴执政，齐闵王处死了他，大臣们自此不再亲近齐闵王。因此，燕王调集兵马，派昌国君乐毅率军攻打齐国，齐国派触子率军迎战，结果齐国大败，触子驾着一辆战车逃跑了。齐将达子召集残余的士兵，重整旗鼓，又跟燕军交战，他要求齐闵王犒劳勇赴国难的兵将，齐闵王不愿意，结果齐军又打了败仗，四处逃亡。

【原文】

王奔莒①，淖齿②数之曰：“夫千乘、博昌之间，方数百里，雨血沾衣，王知之乎？”王曰：“不知。”“嬴、博之间，地坼至泉，王知之乎？”王曰：“不知。”“人有当阙③者，求之则不得，去之则闻其声，王知之乎？”王曰：

"不知。"淖齿曰："天雨血沾衣者，天以告也；地坼至泉者，地以告也；人有当阙而哭者，人以告也；天地人皆以告矣，而王不知戒焉，何得无诛乎？"于是杀闵王于鼓里④。

【注释】

①王奔莒：该历史事件发生在公元前284年。②淖齿：古人名。楚国的将军。③阙：古代宫殿外左右对称的高建筑物。④鼓里：莒城内的一个里巷的名字。

【译文】

齐闵王逃亡到莒，淖齿数说闵王的罪状："在那千乘与博昌之间数百里的地方，天降血雨，污秽了人们的衣服，大王知道这件事吗？"闵王说："不知道。""嬴和博之间，大地裂开涌出泉水，大王知道这件事吗？"闵王说："不知道。""有一个人在宫门前啼哭，去寻找却看不见人，走开却又听见那哭声，大王知道这件事吗？"闵王说："不知道。"淖齿说："天下血雨污衣，这是老天在示警；地裂出泉，这是大地在示警；望宫门而哭泣，这是人在示警。天、地、人都做了警示，而大王却不知道警戒，又怎么能不被诛杀呢？"于是，就在鼓里这个地方杀死闵王。

【原文】

太子①乃解衣免服，逃太史之家为溉园。君王后，太史氏女，知其贵人，善事之。田单以即墨之城，破亡余卒，破燕兵，绐骑劫②，遂以复齐，遽迎太子于莒，立以为王。襄王即位，君王后以为后，生齐王建。

【注释】

①太子：即位后是齐襄王，名法章。②骑劫：燕国将领。

【译文】

太子于是乔装打扮，逃到太史家里，为他们灌溉菜园。太史家的女儿知道他是贵人，于是善待他。齐国大将田单率领即墨城的残兵大败燕军，欺骗燕将骑劫，最终恢复了失地，于是将太子迎到莒地，并立他为王。齐襄王即位后，封太史家的女儿为王后，并生了齐王建。

齐闵王之遇杀

【原文】

齐闵王之遇杀，其子法章变姓名，为莒[1]太史家庸夫。太史敫[2]女，奇法章之状貌，以为非常人，怜而常窃衣食之，与私焉。莒中及齐亡臣相聚，求闵王子，欲立之。法章乃自言于莒。共立法章为襄王。

襄王立，以太史氏女为王后，生子建。太史敫曰："女无媒而嫁者，非吾种也，污吾世矣。"终身不睹。君王后贤，不以不睹之故，失人子之礼也。

【注释】

①莒（jǔ）：地名，在今山东莒县南。②敫（jiào）：此处为人名。

【译文】

齐闵王被杀，他的儿子法章改变姓名，来到莒地太史敫家，当了他家的仆人。太史敫的女儿见法章的相貌很奇特，觉得他不是普通人，很怜爱他，常暗中送给他衣服和食物，并和他有了私情。莒地的人和齐国逃往莒地的大臣聚在一起，商量寻找闵王的儿子，想要立他为王。法章就出来承认自己是太子，大家共同拥立他为襄王。

襄王即位后，把太史敫的女儿立为王后，称君王后，君王后为他生下一个儿子，孩子的名字叫建。太史敫说："女儿没有通过媒人就出嫁，不是我的后代，侮辱了我一世清名。"终身不愿意见他的女儿。君王后很贤惠，不因父亲不见她就不顾父女之间的礼节。

【原文】

襄王卒，子建立为齐王。君王后事秦谨，与诸侯信，以故建立四十有余年不受兵。

秦始皇[1]尝使使者遗君王后玉连环，曰："齐多知，而解此环不？”君王后以示群臣，群臣不知解。君王后引椎椎破之，谢秦使曰：“谨以解矣。”

【注释】

①秦始皇：当为“秦昭王”，因为君王后死时秦始皇尚未即位。

【译文】

齐襄王死后，他的儿子建被立为齐王，君王后对待秦国很谨慎，对待诸侯也很讲信义，所以齐王建在位四十年多，没有遇到战争。

秦昭王曾派使臣给君王后送去一副玉连环，说：“齐国人很聪明，但能解开这个玉连环吗？”君王后将玉连环拿给群臣看，大臣们都不知道如何解开它。君王后用锤子把它敲破，告诉秦王的使者说：“已经解开了。”

【原文】

及君王后病且卒，诫建曰：“群臣之可用者某。”建曰：“请书之。”君王后曰：“善。”取笔牍受言。君王后曰：“老妇已亡①矣！”君王后死，后后胜相齐，多受秦间金玉，使宾客入秦，皆为变辞，劝王朝秦，不修攻战之备。

【注释】

①亡：通“忘”。

【译文】

到君王后病重将死时，她告诫齐王建，说：“任用大臣时，可以任用某人。”齐王建说：“请让我把他们的名字写出来。”君王后说：“好。”于是齐王取笔和木简，记录君王后的遗言。君王后却说：“老妇已经忘记要说什么了。”君王后死后，后胜担任齐相，接受了秦国间谍很多金玉，让宾客去秦国，宾客回来之后说的都是一些符合秦国利益的变诈之辞，劝说齐王建朝见秦国，而不做战争准备。

楚 策

魏王遗楚王美人

【原文】

魏王遗楚王①美人，楚王说之。夫人郑袖②知王之说新人也，甚爱新人。衣服玩好，择其所喜而为之；宫室卧具，择其所善而为之。爱之甚于王。王曰："妇人所以事夫者，色也；而妒者，其情也。今郑袖知寡人之说新人也，其爱之甚于寡人，此孝子之所以事亲，忠臣之所以事君也。"

【注释】

①楚王：楚怀王。②郑袖：楚怀王的夫人。

【译文】

魏王送给楚怀王一位美女，楚怀王很喜欢她。楚怀王的夫人郑袖知道楚怀王宠爱这位美女，就假装也非常喜欢这位新人，挑选她喜欢的服饰珍玩送给她，住室和家具也都按她的喜好置办，似乎比楚王更喜欢她。楚王说："女人仰仗自己的美色来侍奉自己的丈夫，而嫉妒也是女人的常情。现在郑袖知道寡人喜欢新人，可是她比我还爱新人，就像孝子侍奉父母、忠臣侍奉君主一样。"

【原文】

郑袖知王以己为不妒也，因谓新人曰："王爱子美矣。虽然，恶子之鼻。子为见王，则必掩子鼻。"新人见王，因掩其鼻。王谓郑袖曰："夫新人见寡人，则掩其鼻，何也？"郑袖曰："妾知也。"王曰："虽恶必言之。"郑袖曰：“其似恶闻君王之臭也。”王曰：“悍哉！”令劓[1]之，无使逆命。

【注释】

①劓（yì）：割去鼻子。

【译文】

郑袖知道楚王认为自己没有嫉妒新人后，就去对新人说：“大王喜爱你的美貌，但是不喜欢你的鼻子。所以，如果你见到君王，一定要遮掩你的鼻子。”新人见到楚王，果然遮住了自己的鼻子。楚王对郑袖说：“新人看见我时会遮住自己的鼻子，这是为什么呢？”郑袖回答说：“我知道原因。”楚王说：“就算是很难听的话，你也一定要说出来。”郑袖说：“她像是讨厌闻到君王身上的气味。”楚王说：“真是胆大！”于是命人割掉美人的鼻子，不许违抗命令。

赵　策

郑同北见赵王

【原文】

郑同①北见赵王。赵王曰："子南方之博士也，何以教之？"郑同曰："臣南方草鄙之人也，何足问？虽然，王致之于前，安敢不对乎？臣少之时，亲尝教以兵。"赵王曰："寡人不好兵。"郑同因抚手仰天而笑之曰："兵固天下之狙喜②也，臣故意大王不好也。

【注释】

①郑同：古人名。擅长游说。②狙（jū）喜：如猕猴一般狡诈可喜。此处指有害。

【译文】

楚国人郑同去北方拜见赵王。赵王说："您是南方很博学的人，有什么可以教给我？"郑同说："我是南方一个粗鄙无知的人，有什么值得问的呢？即便如此，大王您已经问到我了，我怎么敢不回答呢？我年少的时候，父亲曾经传授给我兵法。"赵王说："我不喜欢用兵。"郑同拍手仰天大笑，说："兵法本来就是天下的大害，我原来就猜想大王不喜欢它。

【原文】

"臣亦尝以兵说魏昭王①，昭王亦曰：'寡人不喜。'臣曰：'王之行能如许由乎？许由②无天下之累，故不受也。今王既受先王之传，欲宗庙之安、壤地不削、社稷之血食③乎？'王曰：'然。'

【注释】

①魏昭王：襄王子，公元前295至前277年在位。②许由：古人名。相传是尧时的隐士。③血食：古代杀牲取血用来祭祀，因此受享祭品称为血食。

【译文】

“我也曾以用兵的事去劝说魏昭王，昭王也说：‘我不喜欢。’我说：‘大王的品行能比得上许由吗？许由心中没有世俗的牵累，所以他不接受尧的禅让。现在大王已经继承了先王的王位，您想要宗庙安稳、国家的领土不被侵占，社稷永远保住吗？’昭王说：‘是这样的！’

【原文】

“今有人操随侯之珠①，持百丘之环②，万金之财，特宿于野，内无孟贲③之威、荆庆④之断，外无弓弩之御，不出宿夕，人必危之矣。今有强贪之国，临王之境，索王之地，告以理则不可，说以义则不听。王非战国守圉之具，其将何以当之？王若无兵，邻国得志矣。”赵王曰：“寡人请奉教。”

【注释】

①随侯之珠：相传为春秋战国时期随国的珍宝。随国的君主随侯曾救治过一条大蛇，蛇痊愈后衔夜明珠报恩，因此称“随侯珠”，也叫作“隋侯珠”。②百丘之环：丘，古代的基层居民组织。百丘之环，即值一百个丘的玉环，意为价值连城。③孟贲：古人名。卫国人，战国勇士，有人认为是秦武王时的力士孟说。④荆庆：古人名。古代勇士，一说为荆轲，一说为成荆和庆忌。

【译文】

“现在有一个人带着随侯珠，握着贵重的玉环，揣着万金资财，独自在野外露宿，他既没有孟贲那样的威武、荆庆那样的果断，又没有强弓利箭来防御，那么不超过一晚就会有危险。现在有强大贪婪的国家，进逼大王的国境，向您索取土地，给它讲道理，讲不通，和它论道义，也不听取。大王您如果没有保卫国家防御敌人的器具，又将拿什么去抵御它们呢？大王您如果没有军事防御力量，那么邻国的野心就会得逞了。”赵王说：“寡人请你多加指教。”

赵太后新用事

【原文】

赵太后[①]新用事，秦急攻之。赵氏求救于齐。齐曰："必以长安君[②]为质，兵乃出。"太后不肯，大臣强谏。太后明谓左右："有复言令长安君为质者，老妇必唾其面。"

【注释】

①赵太后：赵孝成王的母亲。②长安君：赵太后的幼子。长安是他的封号而不是地名。

【译文】

赵太后刚刚执政，秦国就猛烈攻打赵国。赵国向齐国求救。齐国说："一定要让长安君做人质，我们才会派出军队。"赵太后不同意，大臣们都竭力劝谏她。赵太后向身边的人明确宣布："有谁再提起让长安君做人质的事，老婆子我一定向他的脸上吐唾沫。"

【原文】

左师触龙[①]言愿见太后，太后盛气而胥[②]之。入而徐趋，至而自谢[③]，曰："老臣病足，曾不能疾走，不得见久矣。窃自恕，而恐太后玉体之有所郄[④]也，故愿望见太后。"太后曰："老妇恃辇[⑤]而行。"曰："日食饮得无衰乎？"曰："恃粥耳。"曰："老臣今者殊不欲食，乃自强步，日三四里，少益嗜食，和于身也。"太后曰："老妇不能。"太后之色少解。

【注释】

①左师触龙：名为触龙的执政官。②胥：等候。③谢：在这里是道歉的意思。④郄（xì）：通"隙"。在这里是指身体不适。⑤辇：人拉的车。

【译文】

左师触龙说自己想拜见太后，太后十分生气地等着他。触龙才进宫就小步移动向前，走到太后面前向她谢罪，说：“老臣的脚有毛病，所以不能快走，很久没有拜见您。我私下原谅自己，但又担心太后您的身体欠安，所以希望能谒见太后。”赵太后说：“老婆子我只能靠车子行动了。”触龙问：“您每天饮食该不会减少了吧？”太后说：“靠的是稀饭而已。”触龙说：“老臣最近也不思饮食，于是就勉强步行，一天走上三四里，渐渐地想吃东西了，身体也舒服了些。”太后说：“老婆子我是做不到的。”这时太后的脸色稍稍缓和了些。

【原文】

左师公曰：“老臣贱息①舒祺，最少，不肖，窃爱怜之，愿令得补黑衣②之数，以卫王宫，没死③以闻。”太后曰：“敬诺。年几何矣？”对曰：“十五岁矣。虽少，愿及未填沟壑④而托之。”太后曰：“丈夫亦爱怜其少子乎？”对曰：“甚于妇人。”太后笑曰：“妇人异甚。”对曰：“老臣窃以为媪⑤之爱燕后⑥贤于长安君。”曰：“君过矣，不若长安君之甚。”左师公曰：“父母之爱子，则为之计深远。媪之送燕后也，持其踵为之泣，念悲其远也，亦哀之矣。已行，非弗思也，祭祀必祝之，祝曰：‘必勿使反。’岂非计久长，有子孙相继为王也哉？”太后曰：“然。”

【注释】

①贱息：对自己子女的谦称。②黑衣：卫士穿的衣服。这里指侍卫。③没（mò）死：冒着死罪。④填沟壑：尸体填于沟壑，死亡的委婉说法。⑤媪（ǎo）：对老年妇女的敬称。⑥燕后：赵太后的女儿，因嫁给燕王，故称燕后。

【译文】

左师公触龙说：“老臣的犬子舒祺，年龄最小，没有本领，老臣心里很疼爱他，希望能让他补进黑衣侍卫的队伍里，来保卫王宫，我冒死来向太后提出这一请求。”太后说：“同意。他多大年纪了？”触龙回答说：“十五岁了。虽然年纪还小，老臣还是想趁着自己没死之前把他托付出去。”太后说：“男人们也疼爱自己的小儿子吧？”触龙回答说：“超过女人。”太后笑道：“女人疼爱小儿子可是特别厉害啊。”触龙回答说：“老臣私下里认为您老人家疼爱燕后要超过长安君。”太后说：“您错了，比不上疼爱长安君的程度。”触龙说：“父母疼爱子女，就应该替他们考虑得长远。您老人家送别燕后时，握住她的足跟哭泣，念及她的远嫁而悲伤，这也是感到伤心啊。她走了以后，您并不是不想念她，祭祀的时候一定为她祝福，道：‘一定别让她回来。’这难道不是替她做长远打算，希望她的子孙世代继承王位吗？”太后说：“是的。”

【原文】

左师公曰：“今三世以前，至于赵之为赵，赵主之子孙侯者，其继有在者乎？”曰：“无有。”曰：“微独赵，诸侯有在者乎？”曰：“老妇不闻也。”“此其近者祸及身，远者及其子孙。岂人主之子侯则必不善哉？位尊而无功，奉厚而无劳，而挟重器多也。今媪尊长安君之位，而封之以膏腴之地，多予之重器，而不及今令有功于国，一旦山陵崩[1]，长安君何以自托于赵？老臣以媪为长安君计短也，故以为其爱不若燕后。”太后曰：“诺。恣君之所使之。”于是为长安君约车百乘，质于齐，齐兵乃出。

【注释】

①山陵崩：对国君或王后之死的讳称。

【译文】

左师触龙说：“从现在起往上追溯到三代以前，直到赵氏立国的时候，赵君的子孙封侯的，他们的后嗣还有在侯位的吗？”太后说：“没有。”触龙问：“不只是赵国，其他诸侯的子孙，他们的后代还有在侯位的吗？”太后说：“老婆子我没有听说过。”触龙说：“这些人近的本身遭遇灾祸，远的祸及子孙。难道说国君的子孙们都一定不会有好结果吗？那是因为他们地位尊贵却没有功劳，俸禄丰厚但没有功绩，只是拥有大量的宝物而已。现在您老人家提高长安君的地位，又封给他肥沃的土地，给他很多宝物，却不让他趁现在为国立功，一旦您不幸去世，长安君将依仗什么在赵国独自立足呢？所以老臣认为您替长安君打算得少，说您疼爱长安君不如疼爱燕后。”太后说：“说的是，听凭您安排他吧！”于是为长安君准备一百辆随行的车辆，送长安君到齐国充当人质，齐国这才出兵援救赵国。

【原文】

子义[①]闻之曰：“人主之子也，骨肉之亲也，犹不能恃无功之尊，无劳之奉，而守金玉之重也，而况人臣乎？”

【注释】

①子义：赵国的贤人。

【译文】

子义听说了这件事，说道：“君主的儿子，是国君的亲骨肉啊，尚且不能倚仗没有功勋而得来的高位，没有劳绩的俸禄，坐拥金玉等贵重财物，更何况是臣子呢？”

魏策

知伯索地于魏桓子

【原文】

知伯[①]索地于魏桓子[②]，魏桓子弗予。任章[③]曰："何故弗予？"桓子曰："无故索地，故弗予。"任章曰："无故索地，邻国必恐；重欲无厌，天下必惧。君予之地，知伯必憍[④]，憍而轻敌，邻国惧而相亲。以相亲之兵，待轻敌之国，知氏之命不长矣。《周书》曰：'将欲败之，必姑辅之；将欲取之，必姑与之。'君不如与之，以骄知伯。君何释以天下图知氏，而独以吾国为知氏质[⑤]乎？"君曰："善。"乃与之万家之邑一。知伯大说，因索蔡、皋狼于赵，赵弗与，因围晋阳。韩、魏反于外，赵氏应之于内，知氏遂亡。

【注释】

①知伯：智伯。②魏桓（huán）子：人名。名驹。③任章：古人名。魏桓子的相。④憍：古同"骄"。⑤质：箭靶。在此指被攻击的对象。

【译文】

智伯向魏桓子索要土地，魏桓子不给他。任章问："您为什么不给他土地呢？"桓子说："无缘无故来索要土地，所以不给。"任章说："没有缘由就来索取土地，智伯的邻国一定会恐慌；贪得无厌，天下的诸侯一定会担忧。假使您把土地给他，他必定越发骄横；骄横就会轻敌，而邻国害怕就会相互亲近团结。用相互团结的军队去抵御轻敌的国家，智伯肯定活不长了。《周书》上说：‘想要打败他，一定先要辅助他；想要谋取他，一定先要给予他。’您不如把土地给他，使智伯骄横。您为什么放弃和天下诸侯共同图谋智伯的机会，偏偏让我国成为智伯的攻击对象呢？”魏桓子：“好。”于是送给智伯一个万家的都邑。智伯很高兴，就又向赵国索取蔡、皋狼等地，赵国不答应，智伯就围攻晋阳。韩、魏从外部反击，赵军在城内接应，智伯终于灭亡。

韩　策

史疾为韩使楚

【原文】

史疾[1]为韩使楚，楚王问曰："客何方所循？"曰："治列子圉寇[2]之言。"曰："何贵？"曰："贵正。"王曰："正亦可为国乎？"曰："可。"王曰："楚国多盗，正可以圉[3]盗乎？"曰："可。"曰："以正圉盗，奈何？"顷间有鹊止于屋上者，曰："请问楚人谓此鸟何？"王曰："谓之鹊。"曰："谓之乌，可乎？"曰："不可。"曰："今王之国有柱国、令尹、司马[4]、典令[5]，其任官置吏，必曰廉洁胜任。今盗贼公行而弗能禁也，此乌不为乌，鹊不为鹊也。"

【注释】

①史疾：韩国臣子。②列子圉（yǔ）寇：列御寇，又称列子，战国时郑国学者。③圉：防御，禁止。④司马：主管军事的官职。⑤典令：主管发布政令的官职。

【译文】

史疾替韩国出使楚国，楚王问他说："先生在研究什么学问？"史疾说："我在研究列御寇的学说。"楚王问："列御寇推崇什么呢？"史疾说："推崇正。"楚王问："这也能用来治理国家吗？"史疾回答说："可以。"楚王问："楚国有很多盗贼，用它能防范盗贼吗？"史疾回答说："可以。"楚王接着问："怎么用正来防盗？"不久，有一只鹊鸟飞来停在屋顶上，史疾问："请问楚国人怎么称谓这种鸟呢？"楚王说："叫它鹊。"史疾又问："叫它乌鸦，可以吗？"回答说："不可以。"史疾就说："如今大王的国内设有柱国、令尹、司马、典令等官职，任用官吏时，一定要求他们廉洁奉公，能胜任其职。现在盗贼横行却不能加以禁止，这就是乌鸦不成为乌鸦，鹊鸟不成为鹊鸟啊。”

燕　策

人有恶苏秦于燕王者

【原文】

人有恶[1]苏秦于燕王者，曰："武安君[2]，天下不信人也。王以万乘下之，尊之于廷，示天下与小人群也。"

【注释】

①恶（wù）：诽谤，诋毁。②武安君：苏秦在燕国的封号。

【译文】

有人在燕昭王那里毁谤苏秦，说："武安君苏秦是天下最不讲信用的人。大王以万乘大国君主的身份，屈尊礼待他，在朝廷上敬重他，这是向天下人表明自己与小人为伍啊。"

【原文】

武安君从齐来，而燕王不馆也。谓燕王曰："臣东周之鄙人也，见足下身无咫尺之功，而足下迎臣于郊，显臣于廷。今臣为足下使，利得十城，功存危燕，足下不听臣者，人必有言臣不信，伤臣于王者。臣之不信，是足下之福也。使臣信如尾生，廉如伯夷，孝如曾参，三者天下之高行[1]，而以事足下可乎？"燕王曰："可。"曰："有此，臣亦不事足下矣。"

【注释】

①高行：高尚的德行。

【译文】

苏秦从齐国回来，燕王不再任用他。苏秦对燕王说："我原本只是东周的一个鄙陋之人，当初见大王时没有些许功绩，但大王亲自到郊外去迎接我，让我在朝廷上占据显要位置。现在我替您出使齐国，收复了十座城邑，有挽救危困燕国的功劳，可是您却不信任我，一定是有人说我不守信用，在大王面前中伤我。其实，我不守信用，那是您的福气。如果我像尾生那样守信，像伯夷那样廉洁，像曾参那样尽孝，具有这三种天下最可贵的德行，来为大王效命，可以吗？”燕王说：“可以。”苏秦说：“有这些德行，我也不会来侍奉您了。”

【原文】

苏秦曰：“且夫孝如曾参，义不离亲一夕宿于外，足下安得使之之齐？廉如伯夷，不取素餐[①]，污武王之义而不臣，焉辞孤竹[②]之君，饿而死于首阳之山[③]。廉如此者，何肯步行数千里，而事弱燕之危主乎？信如尾生，期而不来，抱梁柱而死。信至如此，何肯扬燕、秦之威于齐而取大功乎哉？且夫信行者，所以自为也，非所以为人也。皆自覆[④]之术，非进取之道也。且夫三王代兴，五霸迭盛，皆不自覆也。君以自覆为可乎？则齐不益于营丘[⑤]，足下不逾楚境[⑥]，不窥于边城之外。且臣有老母于周，离老母而事足下，去自覆之术，而谋进取之道，臣之趣固不与足下合者。足下皆自覆之君也，仆者进取之臣也，所谓以忠信得罪于君者也。”

【注释】

①素餐：没有功劳而接受俸禄。②孤竹：古国名。③首阳之山：首阳山，在今河南偃师西北。④自覆：自我满足。⑤营丘：临淄，齐国早期的都城。⑥足下不逾楚境：当作“楚境不逾沮、漳”。沮、漳二水在湖北汉水之西，合流后，在江陵西流入长江。

【译文】

苏秦说：“何况像曾参那样的孝子，遵守道义，不会离开父母在外住宿一个晚上，您又怎么能派他到齐国去呢？像伯夷那样廉洁，不受无功之禄，认为周武王的行为玷污正义，不做他的臣子，于是辞掉孤竹君位，饿死在首阳山上。廉洁到这种程度，又怎么肯步行几千里来到弱小的燕国侍奉处境危急的国君呢？像尾生那样守信用，约会的时间到了而情人还没有来，最终抱着桥柱被淹死。守信到了这种地步，怎么会到齐国去宣扬燕、秦的威望而成就大功业呢？况且讲信用道德的人，都是为了自我修养，不是用来帮助他人。所以这都是自我满足的办法，而不是谋求进取的途径。况且，三王轮流兴起，五霸相继强盛，他们都不满足现状。您认为安于现状可以吗？那么齐国就不会进兵营丘，您也不能越过楚国的边境，不可能窥探边城以外的地方了。况且我在周地还有老母在堂，离开老母来侍奉您，抛开故步自封的做法，谋求进取的策略。看来我的志向本来就和您不一致。大王是安于现状的君主，而我是积极进取的臣子，这就是因为忠信而得罪于君王的人啊。”

【原文】

燕王曰：“夫忠信又何罪之有也？”对曰：“足下不知也。臣邻家有远为吏者，其妻私人。其夫且归，其私之者忧之。其妻曰：‘公勿忧也，吾已为药酒以待之矣。’后二日，夫至，妻使妾奉卮酒进之。妾知其药酒也，进之则杀主父，言之则逐主母，乃阳僵①弃酒。主父大怒而笞②之。故妾一僵而弃酒，上以活主父，下以存主母也。忠至如此，然不免于笞，此以忠信得罪者也。臣之事，适不幸而有类妾之弃酒也。且臣之事足下，亢③义益国，今乃得罪，臣恐天下后事足下者，莫敢自必④也。且臣之说齐，曾不欺之也？使说齐者，莫如臣之言也，虽尧、舜之智不敢取也。”

【注释】

①阳僵：阳，通“佯”，假装。僵，跌倒，扑倒。②笞（chī）：鞭打。③亢（kàng）：使……崇高。④必：肯定相信。

【译文】

燕王说：“忠信又有什么罪过呢？”苏秦回答说：“您不知道。我的邻居中有个在远方做官的人，他的妻子跟别人有私情。她的丈夫快要回家了，他妻子的情夫对此感到担忧。妻子说：‘你别担心，我已经制作了毒酒等着他呢。’过了两天，丈夫到家了，妻子让侍妾捧着酒杯递上。侍妾知道那里面装的是毒酒，如果递上去就会毒死男主人，如果把事情揭露出来，那么女主人就会被赶走。于是她假装摔倒，把毒酒洒在地上。男主人非常生气，就鞭打她。这个侍妾这一扑倒，把酒洒在地上，对上救了男主人的性命，对下可以保住女主人。忠心到了这种地步，然而仍然免不了受到责打，这就是因为忠信反而受到罪责的人啊。现在我的处境，恰恰不幸和那个女仆泼掉毒酒反而受罚的遭遇有些类似。况且我事奉大王您，尽量使信义崇高而使国家获益，如今竟然获罪，我担心以后天下所有来事奉您的人，都会丧失信心。况且我劝说齐王，不是曾经欺骗他吗？要是游说齐王的人都不是像我那样进言，即使他们像尧、舜一样贤明，也不能取得这样的利益。”

张仪为秦破从连横

【原文】

张仪为秦破从连横，谓燕王曰：“大王之所亲莫如赵。昔赵王①以其姊为代王②妻，欲并代，约与代王遇于句注③之塞。乃令工人作为金斗④，长其尾，令之可以击人。与代王饮，而阴告厨人曰：‘即酒酣乐，进热歠⑤，即因反斗击之。’于是酒酣乐，取热歠。厨人进斟羹，因反斗而击之，代王脑涂地。其姊闻之，摩笄⑥以自刺也，故至今有摩笄之山⑦。天下莫不闻。

【注释】

①赵王：指赵襄子。②代王：当时代还没有称王，当称“代君”。③句注：山名。在今山西代县西北。④金斗：金，铜。斗，酒器。⑤热歠（chuò）：指羹汤。⑥摩笄（jī）：摩，通“磨”。笄，发簪。⑦摩笄之山：山名。在今河北张家口东南。

【译文】

张仪为秦国破除合纵，推行连横策略，对燕王说："大王最亲近的莫过于赵国吧。从前赵襄子把他的姐姐嫁给代君为妻，想要吞并代国，邀约代君在句注的关塞会面。于是他命令工匠制作了一个铜斗，增长斗柄，使它可以用来袭击别人。赵襄子在和代君饮酒时，暗中告诉厨子，说：'当酒喝得正酣畅时，就送上热汤，随即乘机掉过铜斗来袭击代君。'于是在酒喝得正畅快时，上热汤了，厨子送上汤勺，趁机倒转铜斗攻击代君，代君脑浆流了一地。赵襄子的姐姐听说这件事后，便磨尖了发簪自杀，因此到今天还有摩笄山。天下没有谁没听闻这件事的。

【原文】

"夫赵王[①]之狼戾[②]无亲，大王之所明见也。且以赵王为可亲邪？赵兴兵而攻燕，再围燕都而劫大王，大王割十城乃郤以谢。今赵王已入朝渑池，效河间以事秦。大王不事秦，秦下甲云中、九原，驱赵而攻燕，则易水、长城[③]非王之有也。

【注释】

①赵王：赵武灵王。②狼戾（lì）：像狼一样贪戾。③长城：地名。指燕南长城。

【译文】

"赵王像狼一样贪戾，不讲亲情，这是大王能清楚看到的。怎么能把赵王当作是可以亲近的人呢？赵国兴兵攻打燕国，两次围困燕都并且劫持大王，大王割让十座城邑去谢罪。现在赵王已经到渑池朝见秦王，献出河间一带来归顺秦国。如果大王不归顺秦国，秦就会发兵到云中、九原，驱使赵军进攻燕国，那么易水和长城，就不再归大王所有了。

【原文】

"且今时赵之于秦，犹郡县也，不敢妄兴师以征伐。今大王事秦，秦王必喜，而赵不敢妄动矣。是西有强秦之援，而南无齐、赵之患，是故愿大王之熟计之也。"

【译文】

“况且现在的赵国对于秦国来说，就如同秦的一个郡县，不敢妄自发兵去征伐别国。如果大王现在依附秦国，秦王必定会很高兴，赵国也不敢轻举妄动了。如若那样，燕国西面有强大的秦国援助，同时南边没有了齐国、赵国的忧患，所以希望大王能慎重考虑这件事。”

【原文】

燕王曰：“寡人蛮夷辟[1]处，虽大男子裁[2]如婴儿，言不足以求正，谋不足以决事。今大客幸而教之，请奉社稷西面而事秦，献常山之尾五城。”

【注释】

①辟：通“僻”，偏僻。②裁：只，仅。

【译文】

燕王说：“我像蛮夷一样处在偏远之地，这里即使是成年男子，行为也像小孩一般，他们讲话不能有正确的看法，智谋不能决断事情。如今有幸得到贵客的指教，我愿意奉上国家向西依附秦国，并献出常山西南的五座城邑。”

宫他为燕使魏

【原文】

宫他[1]为燕使魏，魏不听，留之数月。客谓魏王[2]曰：“不听燕使何也？”曰：“以其乱也。”对曰：“汤之伐桀，欲其乱也。故大乱者可得其地，小乱者可得其宝。今燕客之言曰：‘事苟可听，虽尽宝、地，犹为之也。’王何为不见？”魏王说，因见燕客而遣之。

【注释】

①宫他：周人，当时在燕国任职。②魏王：魏襄王。

【译文】

宫他代表燕国出使魏国，魏王不但没有接见他，还扣留了他几个月。有人对魏王说："您为什么不接见燕国的使臣呢？"魏王说："因为燕国内部发生了动乱。"发问的人回答说："商汤讨伐夏桀的时候，就希望夏国内部混乱。因为发生大乱的国家，别国可以得到它的土地；发生小乱的国家，别国可以得到它的珍宝。现在燕国使臣说了这样的话：'假如大王能够采纳我的建议，即使要送上燕国所有的宝物和土地，燕国也在所不惜。'大王为什么不见一见他呢？"魏王听后很高兴，于是召见了宫他，并把他送回了燕国。

苏秦为燕说齐

【原文】

苏秦为燕说齐，未见齐王①，先说淳于髡②曰："人有卖骏马者，比③三旦立于市，人莫知之。往见伯乐曰：'臣有骏马，欲卖之，比三旦立于市，人莫与言，愿子还而视之，去而顾之，臣请献一朝之贾。'伯乐④乃还⑤而视之，去而顾之，一旦而马价十倍。今臣欲以骏马见于王，莫为臣先后者，足下有意为臣伯乐乎？臣请献白璧一双，黄金千镒，以为马食⑥。"淳于髡曰："谨闻命矣。"入言之王而见之，齐王大说苏子。

【注释】

①齐王：齐闵王。②淳于髡：齐国学士，以博学著称，滑稽善辩，曾多次劝谏齐王。③比：连续。④伯乐：本名孙阳，善于相马。⑤还：通"旋"，旋绕。⑥马食：指报酬。

【译文】

苏秦为燕国去游说齐王，在去面见齐王之前，他对淳于髡说：

“有一个人去卖千里马，可是他接连三个早晨站在集市上也没有人知道他的马是千里马。于是他去拜访伯乐，说：‘我有一匹千里马，我想卖掉它，可是我接连三个早晨站在集市上，也没有人过来问价，希望先生您能绕着我的马走一圈，仔细地看一看它，离开后再回头看看它，这样我愿意给您一天的费用。’伯乐就绕着他的马仔细地看了看，离开以后又回头看了看，结果马的身价竟然一下子涨了十倍。现在我想以千里马的身份拜见齐王，可是没有人为我引荐，先生愿意做我的伯乐吗？请让我送给您白璧一双、黄金二百两，作为您的酬劳。”淳于髡说：“我愿意为您引荐。”于是淳于髡进宫向齐王推荐了苏秦，齐王接见了苏秦，而且非常器重他。

苏秦自齐献书于燕王曰

【原文】

苏秦自齐献书于燕王曰：“臣之行也，固知必将有口事，故献御书①而行曰：‘臣贵于齐，燕大夫将不信臣；臣贱，将轻臣；臣用，将多望于臣；齐有不善，将归罪于臣；天下不攻齐，将曰善为齐谋；天下攻齐，将与齐兼弃臣。臣之所处者，重卵②也。’

【注释】

①御书：臣子呈给帝王的书信。②重卵：累卵，形容极为危险。

【译文】

苏秦从齐国上书给燕昭王，说：“我在离开燕国时就知道将来一定会有人在背后诽谤我，所以在临行之前给大王上书，说：‘如果将来我成为显贵，那么燕国的士大夫们将会怀疑我；如果我的地位卑贱，他们则会轻视我；如果我被任用，他们大多会苛刻地对待我；如果齐国与燕国关系不好，他们又会把责任推到我身上；如果各诸侯国不进攻齐国，他们将会打趣我善于为齐国打算；若是各诸侯国进攻齐国，他们将与齐国一起抛弃我。我的处境像重叠起来的蛋一样危险啊。’

【原文】

“王谓臣曰：‘吾必不听众口与谗言，吾信汝也，犹龁[1]也。上，可以得用于齐；次，可以得信；下，苟无死，女无不为也，以孥[2]自信可也；与言曰去燕之齐，可；甚者，与谋燕，可。期于成事而已。’

【注释】

①龁（hé）：咬。②孥（nú）：指妻子和儿女。

【译文】

“大王对我说：‘我一定不会听信众人的谗言，我相信你，就像咬住一样。最理想的，是你在齐国能够得到重用；其次，是能够取得齐王的信任；最次，只要不死，你怎么做都行，你可以把家属接到齐国，使齐王相信你；可以和齐王说，你是怎么离开燕国到齐国；甚至也可以和齐王商量如何谋取燕国。总之，目的在于把我们的事办成功。’

【原文】

“臣受令以任齐交五年，齐数出兵，未尝谋燕。齐、赵之交，一美一恶，一合一离，燕不与齐谋赵，则与赵谋齐。齐之信燕也，至于虚北地行其兵。今王信田伐与参、去疾[1]之言，且攻齐，使齐大戒而不信燕。

【注释】

①田伐与参、去疾：三人皆燕臣。

【译文】

“我奉命到齐国工作已经五年了，在此期间，齐国多次发兵，但都没有攻打过燕国。齐、赵两国的邦交，时好时坏，时合时分，燕国不是联合齐国对付赵国，就是联合赵国对付齐国。然而齐国依旧信任燕国，以致齐国没有在其北部边境设防线，而是把兵力抽调到了其他地方。如今大王听信田伐、参、去疾的话，准备进攻齐国，致使齐国加强了戒备，而不信任燕国。

【原文】

“今王又使庆[1]令臣曰：‘吾欲用所善。’王苟欲用之，则臣请为王事之。王欲醳[2]臣剸[3]任所善，则臣请归醳事。臣苟得时见，则盈愿矣。”

【注释】

①庆：盛庆，燕臣。②醳（shì）：通“释”，舍弃。③剸：同“专”。

【译文】

“现在大王又派盛庆命令臣下，说：‘我想任用我所信任的人。’假使大王真想任用他，那么请让臣下为大王去辅佐他。如果大王真要遗弃我而专任所谓合意的人，那么请让我回国解除职务。假如我能够见到大王，那将是我最大的愿望。”

昌国君乐毅为燕昭王合五国之兵而攻齐

【原文】

昌国君乐毅为燕昭王合五国之兵而攻齐，下七十余城，尽郡县之以属燕，三城未下而燕昭王死。惠王即位，用齐人反间，疑乐毅，而使骑劫代之将。乐毅奔赵，赵封以为望诸君[1]。齐田单欺诈骑劫，卒败燕军，复收七十城以复齐。燕王悔，惧赵用乐毅承[2]燕之弊以伐燕。

【注释】

①望诸君：望诸本为齐国的沼泽名，乐毅从齐国投奔赵国，赵王为表明他的来处，封他为望诸君。②承：通“乘”，趁着。

【译文】

昌国君乐毅辅佐燕昭王时，率领五国联军攻打齐国，攻下了七十多座城池，并把它们全部编入燕国的郡县，只剩三座城池没有攻下，这时燕昭王就去世了。燕惠王即位，相信了齐国人的离间之计，怀疑乐毅，命令骑劫代替乐毅统率燕国军队。乐毅逃亡到赵国，被赵王封为望诸君。齐国大将田单用计谋欺骗了骑劫，最终打败燕国，收复了齐国失去的七十多座城池。惠王深感后悔，又害怕赵国趁燕国疲惫时命乐毅前来攻打燕国。

【原文】

燕王乃使人让乐毅，且谢之曰："先王举国而委将军，将军为燕破齐，报先王之雠，天下莫不振动，寡人岂敢一日而忘将军之功哉！会先王弃群臣，寡人新即位，左右误寡人。寡人之使骑劫代将军者，为将军久暴露于外，故召将军且休计事。将军过听，以与寡人有郤[①]，遂捐燕而归赵。将军自为计则可矣，而亦何以报先王之所以遇将军之意乎？"

【注释】

①郤（xì）：同"隙"，此处指不和。

【译文】

燕惠王派人责备乐毅，并婉转地说："先王把整个国家托付给将军，将军替燕国打败了齐国，为先王报了仇，这件事让天下人都感到震惊。我没有一天敢忘记将军的功劳呢！当初恰逢先王不幸离世，我刚刚即位，被近臣误导。我让骑劫代替您，是因为我不忍心看将军长期在外奔波，于是召请将军回来，请将军暂且休整一下，以便与我共议国家大事。然而，将军听信了谣言，对我有了意见，于是丢下燕国，归附了赵国。将军您这样为自己打算并没有什么不妥，可是您又拿什么来报答先王对您的知遇之恩呢？"

【原文】

望诸君乃使人献书报燕王曰："臣不佞，不能奉承先王之教，以顺左右之心，恐抵斧质之罪，以伤先王之明，而又害于足下之义，故遁逃奔赵。自以负不肖之罪，故不敢为辞说。今王使使者数之罪，臣恐侍御者[①]之不察先王之所以畜幸臣之理，而又不白于臣之所以事先王之心，故敢以书对。

【注释】

①侍御者：左右服侍大王的侍从，在此实指燕惠王。

【译文】

望诸君于是派人给燕惠王送去一封信。在信中，望诸君对燕惠王说："我没有才能，不能遵奉继承先王的教诲，来顺从您左右亲信的心意，又担心获得死罪，损害先王的用人之明，又使大王蒙受加害功臣的不义名声，所以逃亡到赵国。自认为背负不肖的罪名，所以也不敢用言语辩解。如今大王派使者来数落我的罪过，我担心您身边的人不能明察先王任用爱护我的原因，并且也不明白我之所以事奉先王的心情，所以才斗胆写封信来回答您。

【原文】

"臣闻贤圣之君，不以禄私其亲，功多者授之；不以官随其爱，能当者处之。故察能而授官者，成功之君也；论行而结交者，立名之士也。臣以所学者观之，先王之举错[①]有高世之心，故假节于魏王，而以身得察于燕。先王过举，擢之乎宾客之中，而立之乎群臣之上，不谋于父兄，而使臣为亚卿[②]。臣自以为奉令承教，可以幸无罪矣，故受命而不辞。

【注释】

①错：通"措"。②亚卿：周制，卿分上、中、下三级，中卿为第二级卿，又称亚卿。

【译文】

"我听说贤圣的君主不把俸禄任意送给他的亲信，授于功劳大的人；不把官职随便交给他喜欢的人，而是让称职的人担任职务。所以考察臣下的才能再给他适当的官职，这才是能成就功业的君主；能评论别人的品行才和他结交的，这才是能建立功名的人。我用所学到的知识观察，先王的行为显露出超越世俗的志向，所以我借着为魏王出使的机会，才能亲自到燕国接受考察。先王过高地抬举我，在宾客之中把我提拔出来，安排的官职在群臣之上，不与宗室大臣商量，就任命我为亚卿。我自以为接受命令，秉承教诲，可以有幸不获罪，所以就接受了任命而没有推辞。

【原文】

"先王命之曰：'我有积怨深怒于齐，不量轻弱，而欲以齐为事。'臣对曰：'夫齐，霸国之余教也，而骤胜之遗事也，闲①于兵甲，习于战攻。王若欲攻之，则必举天下而图之；举天下而图之，莫径于结赵矣。且又淮北宋地，楚、魏之所同愿也。赵若许，约楚、魏、宋尽力，四国攻之，齐可大破也。'先王曰：'善。'臣乃口受令，具符节，南使臣于赵。顾反命，起兵随而攻齐。以天之道，先王之灵，河北之地，随先王举而有之于济上。济上之军奉令击齐，大胜之。轻卒锐兵，长驱至国。齐王②逃遁走莒③，仅以身免。珠玉财宝，车甲珍器，尽收入燕。大吕④陈于元英⑤，故鼎反于历室⑥，齐器设于宁台⑦。蓟丘⑧之植，植于汶皇⑨。自五伯以来，功未有及先王者也。先王以为惬其志，以臣为不顿命，故裂地而封之，使之得比乎小国诸侯。臣不佞，自以为奉令承教，可以幸无罪矣，故受命而弗辞。

【注释】

①闲：通"娴"，熟练，熟悉。②齐王：齐闵王。③莒（jǔ）：在今山东莒县。④大吕：齐钟名。⑤元英：燕国的宫殿。⑥历室：燕国的宫殿。⑦宁台：燕国的高台。⑧蓟（jì）丘：燕都蓟城的标志性地方，在今北京西南。⑨汶皇：汶，指汶水。皇，通"篁"，竹子。

【译文】

"先王告诉我，说：'我对齐国有深仇大恨，不自我估量国力的微弱，想对齐国发起征伐。'我回答说：'齐国有先代称霸的遗教，又有多次打胜仗的余威，对兵器、战事精熟。大王如果想攻打齐国，就一定要联合天下的诸侯共同对付它；要联合天下诸侯来对付齐国，最便捷的方法就是先和赵国结交。而且淮北是宋国的属地，楚、魏两国都想要得到它。赵国如果答应和燕国结盟，再联合楚魏和宋国共同出动兵力，四国联合攻打齐国，就一定可以大败齐国。'先王说：'好。'于是我就接受口头的命令，准备好符节，向南出使赵国。待我回国复命以后，各国随即起兵攻打齐国。由于上天的保佑和先王的精明，黄河以北的土地全数被先王所占有。济水上的军队奉命追击齐军，获得全胜。我们以精锐的部队又长驱直达齐都，齐闵王逃到莒城，才得以免于一死。齐国的珠玉财宝、车马铠甲、珍贵器物，全部收入燕国的府库。齐国的大吕钟被陈放在元英宫，燕国从前失去的大鼎又回到了历室宫，齐国的各种宝器陈放在宁台上。燕都蓟丘的竹子被移植到齐国的汶水。从五霸以来，没有一个人的功业能赶得上先王。先王认为满足了心愿，也认为我没有辜负使命，因此划分一块土地封赏给我，使我能够与小国的诸侯同列。我没才能，但自认为奉守命令秉承教诲，就可以万幸无罪了，所以接受了封赏而毫不推辞。

【原文】

“臣闻贤明之君，功立而不废，故著于春秋；蚤[①]知之士，名成而不毁，故称于后世。若先王之报怨雪耻，夷万乘之强国，收八百岁[②]之蓄积，及至弃群臣之日，余令诏后嗣之遗义，执政任事之臣，所以能循法令，顺庶孽[③]者，施及萌隶[④]，皆可以教于后世。

【注释】

①蚤：通“早”。②八百岁：齐国从姜尚立国开始，至乐毅破齐止，总共持续了大约八百年。③顺庶孽：端正嫡、庶的名分。④萌隶：百姓。萌，通“氓”。

【译文】

“我听说贤明的君主，功业建立后不会半途而废，因此被载入史册；有先见之明的人，成名后不会毁坏好名声，因此被后人称道。像先王那样报仇雪恨，削平万乘的强国，收取齐国八百年的积蓄，到他离开人世时，他的影响仍继续存在，执政的大臣们遵循法令，理顺嫡庶关系，把遗教推行到民众之中，先王的作为都可用来教育后代。

【原文】

“臣闻善作者不必善成，善始者不必善终。昔者伍子胥说听乎阖闾，故吴王远迹至于郢。夫差弗是也，赐之鸱夷[①]而浮之江。故吴王夫差不悟先论之可以立功，故沉子胥而不悔；子胥不蚤见主之不同量，故入江而不改。夫免身全功，以明先王之迹者，臣之上计也；离[2]毁辱之非，堕先王之名者，臣之所大恐也。临不测之罪，以幸为利者，义之所不敢出也。

【注释】

①鸱（chī）夷：皮囊。②离：通“罹”。

【译文】

“我听说善于开创的未必善于守成，有好的开端未必有好的结果。从前伍子胥的谏言被吴王阖闾接受，所以吴王能远征打到楚国的郢都。吴王夫差不听取伍子胥的意见，赐死伍子胥，把他装在皮口袋里，投入长江中。一开始吴王夫差不知道采纳伍子胥生前的意见可以立功业，所以把伍子胥沉入长江中也不后悔；伍子胥不能及早发现自己和君主的度量不同，因此无法改变被沉江的命运。能免遭杀戮，保全功名，以此彰明先王的功绩，这是我的上策；自身遭受诋毁侮辱，因而毁坏先王的名声，这是我最害怕的事情。面对不可估量的罪责，侥幸为别国从中取利，从道义上讲，这是我所不敢做的。

【原文】

“臣闻古之君子，交绝不出恶声；忠臣之去也，不洁其名。臣虽不佞，数奉教于君子矣。恐侍御者之亲左右之说，而不察疏远之行也。故敢以书报，唯君之留意焉。”

【译文】

“我听说，古代的君子与朋友绝交时，不会说对方的坏话；忠臣逃离本国时，也不抬高自己，而嫁祸于君主。我虽然不贤能，也曾多次接受君子的教诲。我担心大王听信身边人的议论而不了解我远在赵国的行为。所以胆敢用书信作答，希望大王能够谅察这事。”

宋卫策

公输般为楚设机

【原文】

公输般[1]为楚设机，将以攻宋。墨子[2]闻之，百舍[3]重茧，往见公输般，谓之曰："吾自宋闻子，吾欲藉子杀人。"公输般曰："吾义固不杀人。"墨子曰："闻公为云梯，将以攻宋。宋何罪之有？义不杀人而攻国，是不杀少而杀众。敢问攻宋何义也？"公输般服焉，请见之王。

【注释】

①公输般：春秋末年鲁国人，著名的能工巧匠。②墨子：名翟（dí），春秋末年鲁国人，是墨家学派的创始者，主张兼爱、非攻。③百舍：古代一舍合三十里，百舍就是三百里。

【译文】

公输般为楚国制造攻城的器械，为楚国攻打宋国做准备。墨子得知了这件事之后，步行三百里，脚底都磨出了厚茧，去面见公输般，对他说："我在宋国就听说了先生的大名，我想借助您去杀人。"公输般说："我是讲道义的，不随便杀人。"墨子说："听说您在制造攻城用的云梯，以便楚军去攻打宋国，可是宋国有什么罪过呢？您嘴上说自己讲道义，不乱杀人，可实际上却要攻打宋国，这分明是不杀少数人而杀多数人。请问，你攻打宋国有什么道义可言呢？"公输般被说服了，请墨子觐见楚王。

【原文】

墨子见楚王[1]曰："今有人于此，舍其文轩，邻有弊舆而欲窃之；舍其锦绣，邻有裋褐[2]而欲窃之；舍其粱肉[3]，邻有糟糠而欲窃之。此为何若人也？”王曰：“必为有窃疾矣。”

【注释】

①楚王：楚惠王。②裋（shù）褐：用粗布做的衣服，款式简单，方便劳作，是古代穷苦人的日常服装。③粱肉：精美的食物。

【译文】

墨子见到楚王，对楚王说道：“当今有这样一个人，他抛弃自己的彩车，打算偷邻居的破车；扔掉自己华丽的服装，想去偷邻居的粗布衣服；放弃自己家里的美味食物，准备偷邻居的糟糠。这是个什么样的人呢？”楚王说：“这个人一定有偷东西的癖好。”

【原文】

墨子曰：“荆之地方五千里，宋方五百里，此犹文轩之与弊舆也。荆有云梦，犀、兕、麋、鹿盈之，江、汉鱼、鳖、鼋①、鼍②为天下饶，宋所谓无雉、兔、鲋鱼③者也，此犹粱肉之与糟糠也。荆有长松、文梓、楩④、楠、豫樟，宋无长木，此犹锦绣之与短褐也。臣以王吏之攻宋为与此同类也。”王曰：“善哉！请无攻宋。”

【注释】

①鼋（yuán）：俗称沙鳖，是鳖科动物中体型最大的一种。②鼍（tuó）：中国特有的一种鳄鱼，俗称扬子鳄。③鲋（fù）鱼：鲫鱼。④楩（pián）：古书上记载的一种树。

【译文】

墨子说：“楚国的土地方圆五千里，而宋国的领土只不过五百里，这两者相比，就像彩车和破车一样。楚国有云梦泽，其中充满了犀、兕、麋、鹿等动物，长江、汉水里的鱼、鳖、鼋、鼍等是天下最多的，而宋国却是连野鸡、兔子、鲫鱼都不产的地方，这二者相比，就如同精美的饭菜和糟糠相比一样。楚国有长松、文梓、楩、楠、豫樟等名贵的树种，而在宋国连一棵大树都找不到，这两者相比，就如同锦绣和粗布短衫相比一样。因此，我认为大王去攻打宋国与此类似。”楚王说：“您说得对！我不去攻打宋国了。”

卫人迎新妇

【原文】

卫人迎新妇。妇上车，问：“骖马，谁马也？”御曰：“借之。”新妇谓仆曰：“拊骖，无笞服[①]！”车至门，扶，教送母曰：“灭灶，将失火。”入室见臼，曰：“徙之牖下，妨往来者。”主人笑之。此三言者，皆要言也，然而不免为笑者，蚤晚之时失也。

【注释】

①服：古代一辆马车最多配四匹马，在中间驾车的两匹马称为“服”。

【译文】

卫国有一个人迎娶新娘。新娘上车后，问：“两边的骖马是谁的？”车夫说：“是借来的。”新娘对仆人说：“鞭打两边的骖马，不要鞭打中间那两匹马。”马车到了新郎家门口，新娘被人扶着走下马车，她又对送她来的老妇说：“把灶里的火灭了，以防失火。”进了新房，看见捣米臼，她又说：“把它搬到窗户下面，免得妨碍人们走路。”主人嘲笑她。新娘这三句话都是很中肯的话，然而不免被人笑话，这是因为新娘刚过门就说这些，还为时过早。

中山策

阴姬与江姬争后

【原文】

阴姬与江姬[①]争为后。司马憙[②]谓阴姬公[③]曰："事成则有土子民，不成则恐无身。欲成之，何不见臣乎？"阴姬公稽首曰："诚如君言，事何可豫道者。"司马憙即奏书中山王曰："臣能弱赵强中山。"中山王悦而见之曰："愿闻弱赵强中山之说。"司马憙曰："臣愿之赵，观其地形险阻，人民贫富，君臣贤不肖，商敌为资，未可豫陈也。"中山王遣之。

【注释】

①阴姬与江姬：都是中山王的宠妃。②司马憙（xǐ）：中山国的相国。③阴姬公：阴姬的父亲。

【译文】

阴姬和江姬争夺中山国王后之位。司马憙对阴姬的父亲说："立后的事如果成功了，那么您就能够得到土地和百姓；如果不成功，那么恐怕您连自身性命也保不住。想要办成这件事，为什么不让阴姬来见臣下呢？"阴姬的父亲跪拜叩头，说："事情如果真像您说的那样，我会事先向您道谢。"司马憙于是向中山君上书说："臣下能够削弱赵国，强大中山国。"中山君很高兴地接见他，说："我想听听削弱赵国、强大中山国的计谋。"司马憙说："臣下希望先到赵国，观察那里的地理形势，险要的关塞，百姓的贫富，君臣的贤明与否，敌我力量的对比，考察之后作为凭据，不能事先陈述。"于是，中山君派他去赵国。

【原文】

见赵王[1]曰："臣闻赵，天下善为音，佳丽人之所出也。今者，臣来至境，入都邑，观人民谣俗，容貌颜色，殊无佳丽好美者。以臣所行多矣，周流无所不通，未尝见人如中山阴姬者也，不知者特以为神。其容貌颜色，固已过绝人矣，若乃其眉目准頞[2]权衡，犀角偃月，彼乃帝王之后，非诸侯之姬也。"赵王意移，大悦曰："吾愿请之，何如？"司马憙曰："臣窃见其佳丽，口不能无道尔。即欲请之，是非臣所敢议，愿王无泄也。"

【注释】

①赵王：赵武灵王。②頞（è）：鼻梁。

【译文】

司马憙见到赵王，对赵王说："臣下听说，赵国是天下最擅长音律的国家，而且出产美女。这次臣下来到贵国，进入都城，观察风俗民情，看见了形形色色的人，却根本没有见到美女。臣下周游各地，从没有见过像中山国的阴姬那样漂亮的女子，不认识她的人，还以为她是仙女呢。她的容貌，绝对比那些绝代佳人还美艳，比如说她的眉毛、眼睛、鼻子，异于常人，鼻梁就像犀角一样又高又直，额骨呈半月形，分明就是帝王之后的长相，而不应该是诸侯的嫔妃。"赵王被说动了，高兴地说："我希望得到她，怎么样？"司马憙说："臣下私下里看她那么漂亮，不知不觉地就说出来了。您要怎么做才能得到她，这可不是臣下敢随便说的，希望大王不要向别人泄露此事。"

【原文】

司马憙辞去，归报中山王曰："赵王非贤王也。不好道德，而好声色；不好仁义，而好勇力。臣闻其乃欲请所谓阴姬者。"中山王作色不悦。司马憙曰："赵，强国也，其请之必矣。王如不与，即社稷危矣；与之，即为诸侯笑。"中山王曰："为将奈何？"司马憙曰："王立为后，以绝赵王之意。世无请后者，虽欲得请之，邻国不与也。"中山王遂立以为后，赵王亦无请言也。

【译文】

司马憙辞别了赵王，回来向中山君奏报，说："赵王不是个贤明的君主。他不喜欢道德修养，而追求淫声美色；不喜欢仁德礼义，却喜好勇武暴力。臣下听说他竟然还想得到阴姬。"中山君听后脸色变坏，很不高兴。司马憙说："赵国是个强国，赵王想要就一定会要。大王如果不给他，那么国家就危险了；如果给他，就不免会被诸侯耻笑。"中山君说："那该怎么办好呢？"司马憙说："大王立阴姬为后，用来断绝赵王的念头。世上没有要别国王后的道理，虽然赵王想要，邻国也不会答应。"中山君于是立阴姬为后，赵王也就没有再提要阴姬的事了。

中山君飨都士大夫

【原文】

中山君飨都士大夫，司马子期[1]在焉。羊羹不遍，司马子期怒而走于楚，说楚王伐中山。中山君亡，有二人挈戈而随其后者，中山君顾谓二人："子奚为者也？"二人对曰："臣有父，尝饿且死，君下壶飡[2]饵之。臣父且死，曰：'中山有事，汝必死之。'故来死君也。"中山君喟然而仰叹曰："与不期众少，其于当厄；怨不期深浅，其于伤心。吾以一杯羊羹亡国，以一壶飡得士二人。"

【注释】

①司马子期：中山人。②飡（cān）：同"餐"。

【译文】

中山国国君宴请都城中的士大夫，司马子期是被邀请者之一。侍者分羊羹时，没有分给司马子期，司马子期一怒之下跑到了楚国，说服了楚王前来攻打中山国。中山国国君被逼逃亡，有两个人拿着武器跟在他身后，中山君回头对这两个人说：“你们想干什么？”那两个人回答说：“当初臣下的父亲饿得快要死了，您赏了一壶饭食给他吃。他临死时说：‘一旦中山国发生变故，你们一定要以死报答国君。’所以我们特地前来效命于您。”中山君仰天长叹，说道：“施恩不在于多少，而应该在对方最艰难的时候施予；仇怨不在于深浅，在于是否伤害了对方的心。我因为一杯羊羹亡了国，又因为一壶饭食得到了两位义士。”